Os Anjos

Inspiradores da Criatividade

Terry Lynn Taylor

Os Anjos
Inspiradores da Criatividade

Tradução
ADAIL UBIRAJARA SOBRAL
MARIA STELA GONÇALVES

EDITORA PENSAMENTO
São Paulo

Título do original:
Creating with the Angels
An Angel-Guided Journey Into Creativity

Publicado originalmente nos Estados Unidos por H. J. Kramer, Inc.
P.O. Box 1082, Tiburon, CA 94920 – USA.

Edição	Ano
-2-3-4-5-6-7-8-9	95-96-97-98-99

Impresso em nossas oficinas gráficas.

Dedicatória

Os anjos gostariam que você soubesse:

A Criatividade

A criatividade é uma coisa muito especial.
Você já nasce com um monte dela.
À medida que você cresce, você vai ficando cada vez mais
criativo, porque você sabe mais coisas
a respeito de tudo, mais do que quando você era criança.
Com a criatividade, você pode fazer tudo o que quer.
Não importa o resultado, porque
somos todos diferentes e cada um cria de um jeito.

Elizabeth Ann Godfrey, doze anos

Aos Nossos Leitores

*Os livros que publicamos são a nossa
contribuição para um mundo emergente
baseado mais na cooperação do que na
competição, mais na afirmação do espírito
humano do que na dúvida com relação a si mesmo
e na certeza de que toda a humanidade está interligada.
Nosso objetivo é influenciar o maior número
possível de vidas com uma mensagem de
esperança de um mundo melhor.*

Hal e Linda Kramer, Editores

Sumário

Prefácio

Um dos aspectos mais essenciais da nossa vida na Terra e do nosso impacto sobre os céus que estão acima de nós é a capacidade humana de expandir a criatividade. Trabalhar de modo pleno com a criatividade significa cooperar com os anjos de Deus, sendo portanto adequado que Terry Taylor tenha escolhido este tópico para aprimorar um maravilhoso trabalho que inclui *Messengers of Light*, *Guardians of Hope* e *Answers From the Angels*.*

O que faz *Os Anjos — Inspiradores da Criatividade* e os outros trabalhos de Terry ímpares é não apenas o fato de ela escrever de uma maneira que nos leva ao júbilo da percepção dos anjos, mas também o fato de a sua obra ter como origem um espírito e uma alma que de fato honram o Criador Maior de tudo. Creio que Terry tem deixado que uma corrente de pureza flua pelo seu trabalho, sendo este o reflexo de suas sinceras intenções de prestar um serviço real e duradouro aos reinos do céu.

Quando conheci Terry, espantei-me com a semelhança entre ela e algumas pinturas clássicas do Arcanjo Rafael. É interessante observar que ela tem um amor especial por Rafael, cujo amor por ela é profusamente manifesto na obra de Terry, bem como em seu desejo de aliviar o sofrimento a partir da consciência da alegria que os anjos podem nos proporcionar.

---

* *Anjos — Mensageiros da Luz* (1991), *Os Anjos — Guardiães da Esperança* (1993), *Respostas dos Anjos* (1994). Publicados pela Ed. Pensamento, São Paulo.

Este livro é essencial para a nossa época; ele oferece um roteiro para o aumento da nossa capacidade criativa de uma maneira que contribua para o mundo em que vivemos. Talvez, por meio destas páginas, muitos se inspirem a viver de modo mais completo na consciência do Divino Criador.

K. Martin-Kuri

Introdução:

Este é o Chamado dos Anjos para o seu Despertar Criativo!

Um dos aspectos importantes a lembrar é que atraímos anjos transformando-nos nas qualidades que interessam a eles. Quando nos concentramos em qualidades como a compaixão, a fé ou a tolerância, atraímos seres angélicos que estão tentando ajudar a desenvolvê-las em toda a humanidade.

K. Martin-Kuri

Os anjos agem como mensageiros de Deus. Eles se comunicam conosco por meio da inspiração. Quando tornamos a nossa vida diária plena de essência espiritual e pedimos aos anjos que se juntem a nós, criamos a consciência angélica. A consciência angélica requer mais do que a simples concentração no prodígio dos anjos; ela abrange a percepção do prodígio de Deus em toda parte e em tudo, bem como o ato de partilhar e de co-criar essa maravilha com os anjos. A consciência angélica ajuda-nos a manter vivas bem aqui na Terra qualidades angélicas. Não nos limitamos a *ver* a beleza à nossa volta; *nós a sentimos* na alma. Nem *ouvimos* simplesmente a música celestial; nosso ser *ressoa* com ela. Os anjos, na qualidade de mensageiros do céu, nos ajudam a fazer da vida uma experiência verdadeira e cheia de sentido. Isso, por sua vez, permite-nos elevar a vibração do amor no planeta Terra. Se quisermos ser parte da expansão da luz do amor na Terra neste exato momento, uma boa e divertida maneira de começar é tornar a nossa consciência repleta de anjos.

Quando começam a desenvolver a sua consciência angélica, é muito freqüente que as pessoas tenham toda a sua percepção da vida modificada. Elas se sentem muito felizes quando descobrem que podem se concentrar em algo que tem uma natureza inteiramente positiva. Quando redespertamos a nossa percepção dos anjos e integramos a consciência angélica à nossa vida cotidiana, algo se modifica. Damo-nos conta de que uma força "maior do que nós" está agindo na nossa vida para o bem maior de todos. Vemos, percebemos, ouvimos, sentimos, conhecemos e fruímos resultados positivos.

Quando os anjos se tornam um foco positivo na nossa vida, sentimos um forte impulso de nos exprimir criativamente. Nossa expressão criativa não envolve necessariamente pintar um quadro ou realizar qualquer outra forma de arte; ela significa que os anjos nos inspiram a deixar que a nossa energia criativa inata flua em todos os campos, fazendo com que a nossa própria vida se torne uma bela criação. Somos criativos todos os dias, percebamos ou não isso. Como bem disse minha editora, Nancy Grimley Carleton: "Todos somos abençoados com a energia criativa, e a nossa criatividade pode ser expressa pela pintura de um quadro, pela elaboração de um livro, pelo plantio de um jardim, pela preparação de um maravilhoso jantar para a família ou para os amigos, pela criação de um ambiente amoroso para os animais, pelo cuidado com as crianças, pela criação de uma comunidade e de relacionamentos, bem como de incontáveis outras maneiras."

Nossa criatividade inata é redespertada e intensificada pelos anjos, visto serem eles criaturas totalmente criativas em tudo quanto fazem — no modo de se comunicar conosco, de nos inspirar, de nos proteger. Os anjos se assemelham a um grande fluxo de energia criativa, energia que sempre nos cerca como uma delicada pressão, uma brisa agradável ou uma força criativa que espera manifestar-se e nos inspirar de formas especiais. Pare por um momento e imagine a energia criativa e amorosa que os anjos estão sempre espalhando pelo seu caminho. Comece a deixar que ela desperte por inteiro na sua vida. Cada vez que você deixa que esse fluxo de energia criativa — energia angélica — percorra o seu corpo, você a expande e se capacita a alçar-se a grandes alturas.

O reforço angélico da criatividade pessoal agrada-me mais do que qualquer outra influência angélica. Quando me dei conta de que os anjos ajudavam tantas pessoas a liberar sua criatividade, senti o desejo de ajudar a estimular o impulso da maneira que pudesse. Assim, ofereço este livro na esperança de que ele ajude a inspirar você a expandir a sua forma especial de criatividade em cooperação com os anjos. Na realidade, criatividade não é algo que se possa aprender num livro; trata-se de um despertar, de um processo. Meu principal objetivo é ajudar você a desalojar crenças ultrapassadas a respeito da criatividade e tornar-se receptivo à mensagem dos anjos de que é crucial que você expresse a sua criatividade.

A simples palavra *criatividade* pode evocar reações surpreendentes nas pessoas. Para quem pensa que não é criativo, ela pode trazer sensações de ansiedade. Para outras pessoas, que há muito abandonaram sua criatividade, mas sabem no coração que são criativas, a palavra pode revelar sentimentos de inveja e até de raiva. Pessoas que usam de maneira ativa a sua criatividade podem vibrar de alegria quando ouvem a palavra. Como você reage ao pensar na sua criatividade? Sua reação pode indicar se você de fato se deixa levar pela sua corrente de energia criativa ou se algo bloqueia o seu fluxo. Quando você cria com os anjos e os traz para a sua vida diária, seus sentimentos acerca da criatividade passam por uma natural expansão. Sem banda de música, certo dia você acorda e percebe que cada vez que toma fôlego movimenta uma corrente de energia criativa. Essa corrente, assim como os anjos, o cerca por todos os lados.

Os anjos nos ajudam a expressar o que temos dentro de nós. Eles nos ajudam a remover as camadas exteriores para revelar o nosso jovial espírito de energia criativa. As camadas de fora de uma cebola são secas e duras porque servem para protegê-la. As suas camadas exteriores podem ser assim por servir para proteger a sua criatividade sagrada, que é vulnerável e cheia de vida. Os anjos podem oferecer a você um tipo diferente de proteção, para que você não precise mais esconder o seu espírito sob camadas de dor e de confusão.

Enquanto estiver lendo este livro, mantenha no fundo da mente um pensamento constante como "sou um ser criativo, inspirado pelos anjos, cheio de idéias estimulantes e de uma ilimitada energia criativa". Mantenha em sua mente, com a maior freqüência possível, esta ou qualquer outra afirmação positiva sobre si mesmo como ser criativo, mesmo que não acredite totalmente nelas. Esteja atento e receptivo às maneiras criativas pelas quais os anjos lhe enviam mensagens. Talvez tenha de deixar um pouco o livro de lado para atender à inspiração criativa que os anjos lhe enviarem. Vá em frente; use a criatividade angélica que o impele a agir. Se você o fizer, sua alma se alegrará, seu espírito irá cantar, seu corpo terá prazer, sua mente se iluminará e toda a sua vida servirá de afirmação criativa.

Num tom mais sério (se você conhece a minha filosofia, sabe que é raro eu usar a palavra *sério*; uso-a agora porque estou prestes a lhe revelar "o meu segredo", o meu código, a minha *raison d'être*): o propósito central da nossa existência é criar. Quando me ponho a refletir sobre os "por ques" da vida e tento compreender situações como o sofrimento do mundo, a injustiça, a misteriosa razão da nossa presença aqui, chego às vezes a um ponto em que não posso imaginar por que deveríamos nos incomodar com isso e sinto-me deprimida. Quando isso acontece, sei que é melhor parar com esses pensamentos e começar imediatamente a criar com os anjos. Nessas ocasiões, dedico algum tempo para escrever, cozinhar, cuidar do jardim ou rabiscar no meu diário. Não interessa o que eu faço; o importante é que crio. Quando mudo de direção e uso a minha energia na criação com os anjos, a vida volta a fazer sentido para mim. Sinto a minha alegria interior resplandecer mais uma vez graças à minha opção de criar com os anjos.

Se o céu for um lugar em que tudo o que se faz é criar, para mim será muito bom. Como Deus é o Criador supremo, o céu tem de ser um lugar muito criativo. Podemos trazer o céu para a terra: tudo o que temos que fazer é reconhecer a energia criativa que está à nossa volta e usá-la para nos exprimir e para conseguir ganhos positivos, celestiais, aqui e agora. Se você me perguntar por que estamos na Terra, terei de responder: para expandir a nossa criatividade, para criar à nossa própria maneira, para exprimir a nós mesmos e ao nosso amor, bem como para manter a chama criativa viva e ardente, em todo o seu esplendor, no âmago do nosso coração. Não deixe que essa chama — a força da energia criativa vital — diminua ou apague. Por mais escuro que o mundo pareça, por mais desanimadora que a vida se torne, a luz do céu sempre estará à nossa disposição. Mantenha vigorosa a sua força vital criando com os anjos!

Sobre a estrutura do livro

Meu objetivo ao apresentar as informações deste livro é proporcionar a você uma experiência criativa já enquanto estiver lendo. Quero estimular sua energia criativa de novas maneiras e impelir você a "fazer escolhas criativas com os anjos", a começar a entrar em sintonia com aquilo que é mais importante para você a cada momento. Acompanhado pelos anjos, você será capaz de adotar novas perspectivas e adquirir uma nova receptividade para examinar todas as possibilidades. Com bom humor e imaginação, os anjos irão guiá-lo na criação de uma resposta artística à vida. O mais criativo que você pode fazer na qualidade de ser humano é estar plenamente vivo e presente no aqui e agora. Quando se dedica com plena atenção ao momento, você está em total harmonia com o fluxo da criação.

Um dia desses fiz algo bem tolo. Perguntei à minha vizinha de cinco anos, Oriann, se ela sabia o que era criatividade. Ela olhou para mim de um modo um tanto estranho e disse "Não", mas acrescentou que, se eu quisesse, podia lhe explicar a palavra. Bem, como se explica o vocábulo *criatividade* a uma criança de cinco anos? Vi-me buscando palavras com dificuldade e terminei por dizer: "Bem, significa fazer coisas como desenhar, dançar, fazer arte, escrever e tocar." Um sorriso bem doce tomou conta do rosto de Oriann e ela disse: "Ah, então há uma palavra para tudo isso." Mais uma vez, vejo-me diante das limitações das palavras; estas, no entanto, podem nos encaminhar para a verdade interior. Não me preocupo tanto com as palavras em si, mas com a vida que há por trás delas. Com sorte, enquanto você estiver lendo este livro, os anjos irão juntar-se a você e levá-lo aos bastidores, onde as palavras desaparecem e tudo o que importa é estar em sintonia com o momento.

A Parte Um deste livro trata do cultivo da inspiração angélica. Abordei essa parte com um sentimento de espontaneidade e de brincadeira, dois componentes extremamente importantes no processo criativo. Comecei pensando sobre que qualidades e estados de ser os anjos gostariam que criássemos na nossa vida. Os dois fatores inspiradores que estão na base de tudo o que digo na Parte Um são a liberdade pessoal e a integridade espiritual. A liberdade, quando cultivada, permite que sejamos nós mesmos; a integridade é ser verdadeiro consigo mesmo. Embora essa definição de integridade tenha quase se tornado um clichê, mesmo assim é essencial que nos mantenhamos no caminho da verdadeira expressão de nós mesmos. Você veio a esta vida para ser você mesmo, e não outra pessoa, e quanto mais cedo você for fiel a si mesmo, tanto mais cedo irá realizar e fruir aquilo que de fato veio fazer aqui. Na Parte Um, você encontrará uma seleção de idéias destinadas a ajudá-lo a libertar o espírito criativo. Sinta-se livre para modificar as idéias ou desenvolvê-las de qualquer maneira que seja adequada à sua inspiração angélica. Tratei de todas as idéias sentindo a proximidade dos anjos. Por vezes senti-os olhando sobre o meu ombro enquanto escrevia; outras vezes, quando eu estava lendo ou fazendo algo diferente, eles me davam uma idéia criativa e eu corria para o computador para escrever. E, principalmente, enquanto escrevia esta seção, senti que me tornava um espírito mais livre. Quando o livro estiver acabado, quando você o estiver lendo, darei a mim mesma algumas tintas novas e um pacote de argila. Terei aulas de dicção e de dança sempre que puder. Farei longas caminhadas e observarei as nuvens. Irei me divertir com ocasos e luares. E juro que estarei pronta para brincar num piscar de olhos!

Como às vezes acontece na vida humana, há momentos em que chegamos a um ponto em que é necessário remover os bloqueios antes de seguir viagem. Os bloqueios ao nosso espírito criativo só existem na nossa mente. Como a mente é parte do veículo destinado à nossa auto-expressão criativa, é importante dissolver ou remover esses bloqueios quando eles têm um real efeito sobre nós.

A Parte Dois do livro oferece algumas idéias para vencer os bloqueios e expressar o seu eu mais elevado. A vida na Terra de fato fica um pouco lamacenta de vez em quando, em especial depois que chove. A lama pode até ser divertida por algum tempo. Quando criança, eu adorava brincar na lama. Eu e meus amigos fazíamos competições para ver quem ficava mais coberto de lama. Em geral, eu ganhava. O importante sobre a lama é que ela sai com muita facilidade — um pouquinho de água e eis-nos limpos de novo. A lama que se acumula nas nossas "asas" e faz o nosso espírito vergar precisa de água espiritual para ser removida. Essa limpeza espiritual pode ocorrer com quase a mesma facilidade com que nos livramos da lama terrestre; o processo, porém, é um pouco mais difícil de perceber, pois temos de usar o coração para sentir e os olhos da mente para ver onde a lama se esconde. Uma vez que a "enxergarmos" e nos dermos conta dela, poderemos fazer a escolha consciente de nos livrar da lama. A melhor maneira de tratar a lama é não levá-la muito a sério; é se divertir um pouco com ela. Assim, encare as idéias dessa parte do livro como apenas mais um jogo, em que todos ganham.

A Parte Três consiste em três jornadas que escrevi com a intenção de ensinar a partir de uma perspectiva diferente. As jornadas destinam-se a ser lidas ou usadas como meditações dirigidas. Elas têm como foco o amor-próprio. O amor-próprio é a nossa lição principal, um fator absolutamente essencial ao florescimento da criatividade; por isso, quis fornecer uma gama de experiências a fim de transmitir essa mensagem.

Na Parte Quatro, pedi a algumas pessoas, que conheço e que optaram por ter uma vida criativa, que partilhassem conosco algumas das experiências com a criatividade e a maneira como os anjos as influenciam. Mais uma vez, o espírito dos anjos se mostrou presente em toda parte; todos os colaboradores queriam falar das suas experiências para que outros pudessem ser inspirados a tornar-se mais plenamente receptivos aos anjos e à sua própria criatividade inata. Somos todos mestres uns dos outros. Há momentos em que nem sequer nos damos conta de estar, na verdade, ensinando. Se levarmos a vida com integridade e confiança, os nossos ensinamentos haverão de elevar as vibrações do amor no planeta.

Considere esta obra um livro de ajuda à alma, e não um livro de auto-ajuda. Os anjos amam você!

Parte Um

Criando com os Anjos

Sobre a Parte Um

... vim a compreender que a motivação desses homens não eram prêmios terrenos nem o respeito dos colegas, mas o fato de empenharem a alma e a mente num objetivo e alcançarem o lugar extraordinário em que a mente já não podia gerar dados do tipo que eles queriam; eles estavam no território da inspiração, em que as suas intuições se intensificavam e eles sabiam que havia algo mais do que o reino do tempo, do espaço e da matéria, algo mais do que a vida física. Eles sabiam disso.

Gary Zukav, referindo-se a William James, Carl Jung, Benjamin Lee Whorf, Niels Bohr e Albert Einstein,
Seat of the Soul *

As idéias apresentadas nesta seção destinam-se a ajudá-lo a libertar-se em termos de criatividade, inspirado pelos anjos. Todos conhecem muito bem o sentimento de falta de inspiração; os anjos querem ter a certeza de que seu espírito criativo pode vencer essa sensação no futuro aprendendo a ter acesso ao reino angélico em busca da pura inspiração. A inspiração é a maneira pela qual os anjos nos orientam e nos ensinam; ela aviva a chama que arde no nosso espírito. Para criar algo maravilhoso, precisamos antes ser inspirados; a inspiração é o componente mais importante da grandeza. Todos a temos no nosso íntimo, e os anjos sabem com precisão o que inspirar em nós. Eles infundem luz divina no nosso ser, oferecendo-nos uma transmissão que vem diretamente de Deus. Os anjos podem inspirar você a dar amor ao mundo da sua própria maneira

---

* *A Morada da Alma.* Publicado pela Editora Cultrix, São Paulo, 1993.

especial, levar uma vida criativa em harmonia com a dança cósmica divina e criar um estilo de vida nobre. A inspiração angélica vem ao seu encontro quando você se descontrai e cultiva a espontaneidade. Os impulsos criativos surgem quando você se acha plenamente vivo e disposto a deixar-se levar por uma asa e uma oração. Por fim, os anjos o animam a dar uma boa risada e a tirar dos ombros o peso da existência.

Deixe que esta seção do livro seja uma diversão para você, aproximando-o dos anjos e proporcionando-lhe sentimentos criativos. Fiz um apanhado de idéias que julguei que os anjos querem nos ajudar a desenvolver. Os anjos querem, em última análise, instilar no nosso ser a coragem de pensar livremente e de assumir de modo pleno a nossa condição de seres criativos. Eles estão presentes para nos tornar elevados e criativos. Para criar a coragem de viver a sua própria criatividade, pense por si mesmo. Busque perguntas para fazer, mas faça-as a si mesmo. Quero dizer, procure as respostas na sua própria alma, na sua intuição, no seu guia interior; usando o método que der certo com você, comece a procurar respostas dentro de si mesmo. Muitos de nós fazem aos outros perguntas a que só nós mesmos podemos de fato responder. Todas as respostas estão bem diante do nosso nariz, à espera de serem descobertas. Se tem uma pergunta, você tem a sua resposta. Seus anjos sabem o que você procura. Ao ajudá-lo a encontrar as suas respostas, os anjos guiam você de maneiras muito criativas. Logo, quanto mais criativo você for, tanto maior será a sua sintonia com as mensagens angélicas.

Criar qualidades essenciais nas quais os anjos estão interessados ajuda você a fertilizar o solo para a germinação criativa; esse processo irá permitir que a sua expressão criativa seja completa, elevada, leve e peculiarmente sua. Cada vez que começar um empreendimento criativo, pense nas maneiras pelas quais os anjos podem encorajá-lo e ajudá-lo. Leia as idéias desta seção e depois amplie-as com a sua criatividade. Meu sincero desejo com este livro é oferecer a inspiração que o encoraje a criar uma vida bela e criativa com os anjos para que você possa expressar-se no mundo a seu próprio modo. Os anjos amam você e conhecem os segredos da sua alma. Eles sabem que você é criativo e vêem suas qualidades criativas mais aprimoradas a todo momento. Os anjos são a sua companhia constante em toda jornada criativa que você empreende — eles estão presentes não só para fazê-lo vislumbrar o divino, mas também para dar a você uma experiência mais profunda da realidade do aqui e agora.

E, mais do que isso, os anjos querem encorajá-lo a ter alegria, a ser espòntâneo, a sorrir, a divertir-se, a brincar, a ser corajoso e a criar naturalidade. Os anjos estão aqui neste exato momento, esperando para se divertir com você. Levante os olhos e faça-lhes um gesto afirmativo para permitir que eles saibam que você reconheçe a sua presença amorosa.

Capítulo 1

Liberdade Pessoal

Deus fez os anjos de energia e os encerrou em sólidos — correntes de vida piscando num bulbo material de carne.
Paramahansa Yogananda

Neste capítulo, fui inspirada a escrever sobre ter idéias que nos permitam ver a vida à nossa maneira e gerar experiências profundas e significativas de vivê-la. Essas idéias não configuram um caminho solitário, seguir uma direção diferente — não mais —, porque há muitos de nós que querem viver com liberdade pessoal, e essas pessoas sempre acabam se encontrando. Por meio de uma vida criativa, poderemos enriquecer-nos uns aos outros. Os anjos são atraídos por espíritos livres que não temem ser quem são, mesmo que o grosso da sociedade pareça não compreendê-los. Os anjos sempre nos entendem quando somos verdadeiros. Quando brincamos com os anjos, aprendemos algo de novo e estimulante a cada dia. O mundo se enche de prodígios e de sentido, e sabemos que, onde quer que estejamos e qualquer que seja a situação em que nos encontremos, nossa mente estará livre para criar com os anjos.

Quando queremos viver criativamente na companhia dos anjos, temos de construir para a nossa vida uma nova estrutura baseada na liberdade pessoal. A liberdade pessoal nos dá a oportunidade de ser quem realmente queremos ser — nós mesmos —, bem como a coragem de não aceitar as crenças e modos de agir alheios quando estes não são adequados ao nosso sistema criativo. As idéias a seguir ajudam a liberdade pessoal a florescer e a gerar impulsos criativos:

- Disponha-se a abandonar crenças muito rígidas.
- Renuncie aos julgamentos severos sobre os semelhantes. Não se deixe guiar pelos julgamentos.
- Mude de idéia quando quiser; pense, questione e filosofe.
- Perceba como a paz é fabulosa.
- Não se prenda a horários; relaxe e dê espaço para que algo interessante aconteça.
- Tenha uma mente e um corpo flexíveis.
- Faça de vez em quando algo de bobo; isso pode lhe fazer bem.
- Nunca atenda às expectativas de ninguém.
- Seja um bom amigo de si mesmo.
- Seja autêntico.
- Atreva-se a ser bem-humorado; corra o risco de ser você mesmo.
- Dê espaço à imperfeição em você e nos outros; nossas imperfeições nos fazem interessantes.
- Liberte-se das suas próprias amarras; abandone a sua teimosia.
- Não pense nem sinta que está à mercê do mundo; os anjos de Deus protegem você dia e noite.
- Desista de quaisquer atitudes defensivas que você costuma ter por aí; não há problema em cometer erros ou em estar "errado".
- Preste atenção aos seus sentimentos interiores.
- Tente com freqüência fazer algo de novo.
- Respire fundo ao menos uma vez por hora, e sinta-se entusiasmado.
- Saiba que você merece o melhor que os anjos têm a oferecer.
- Examine, experimente, aproveite, espere o inesperado, deixe uma janela aberta para o espírito, dê um grito no telhado, seja uma dançarina espanhola, cultive ataques de riso e pense em algo espontâneo para fazer a cada dia; agindo assim, você irá manter o seu anjo da guarda bem entretido e contente.
- Deixe que a liberdade bata à sua porta!

Crie sucesso

Encontro todo dia pessoas paralisadas pelo fato de poderem falhar. Para mim, não há fracasso; tudo não passa de tentativas.

John Sayles

Quem decide o componente que faz de algumas coisas sucessos e de outras fracassos? Haverá de fato fracassos? Chamar algo de fracasso é um julgamento que fazemos, de modo geral, com base em comparações. Mas não há uma verdadeira comparação entre pessoas; cada um de nós é um ser original, e tudo o que fazemos é um sucesso se decidimos encará-lo dessa maneira.

Quando tinha cinco anos, minha irmã caçula cortou os cabelos bem curtinhos no dia em que ia ser tirada a foto da classe. Entrei no quarto bem na hora em que ela completava a sua façanha e lhe perguntei: "Mas o que é que você está fazendo?" Ela respondeu: "Estou fazendo uma experiência." Nunca vou me esquecer dessas palavras. Naturalmente, sua experiência não foi uma das favoritas da minha mãe, mas o incidente se tornou um clássico na família, lembrado com humor. Aprenda a fazer experiências e não julgue o resultado como um sucesso ou um fracasso. Em vez disso, considere a experiência em termos do que você aprendeu e da diversão que obteve ao fazê-la. As experiências nem sempre são "bem-sucedidas" da maneira como esperamos que sejam, mas temos a escolha de pensar somente no valor do que tivermos aprendido.

Uma maneira de optar pelo sucesso é dar-se conta de quais são os seus valores — o que é mais importante para você pessoalmente. Quando trabalhei com crianças num programa de relações humanas, pedíamos que elas fizessem uma relação dos seus valores depois de lhes explicarmos o que são valores. Em mais ou menos noventa por cento das vezes, o principal valor era a família. Achei isso o máximo. Outros valores importantes para elas eram o amor, a educação, os animais de estimação, os amigos, a casa, a escola, a comunidade, a esperança, a paz e a religião. Faça uma relação dos seus valores. Quando quiser saber se é ou não um sucesso, examine os seus valores e pergunte a si mesmo se os comprometeu de alguma forma. Comprometer os valores significa não ser fiel a si mesmo, significa criar uma divisão na consciência. Por vezes usamos a saída fácil — ou o que vemos como tal — para conseguir dinheiro ou sucesso.

O caminho fácil muitas vezes contraria os nossos valores e o bem maior de todos. Pense nas vezes em que se sentiu um fracasso e veja se estava agindo contra os seus valores. Quando se vir sentindo-se um fracasso, perdoe a si mesmo e concentre-se em modificar o que tem feito, a fim de alinhar-se com os seus valores para o benefício maior de todos os envolvidos.

Quando pensamos em sucesso, colocamos com demasiada freqüência uma medida monetária e mundana nele. Isso pode fazer com que nos comprometamos com o que de fato consideramos significativo para nós, ou fazer com que nos afastemos disso. Os trabalhadores compulsivos e as pessoas obcecadas por ascender socialmente em geral chegam a um momento decisivo em que fazem um cuidadoso exame dos seus valores e mudam de curso, seguindo um modo de vida mais simples e mais dotado de sentido. No que se refere à sua criatividade, aprenda a honrar os seus próprios compromissos simplesmente porque, fazendo-o, você expressa o seu verdadeiro eu, e não porque isso possa trazer dinheiro, fama e assim por diante. Há uma frase de Uta Hagen, famosa professora de teatro, que tem estado na minha mente há muitos anos. Ela disse: "Ame a arte que há em você, e não a si mesmo na arte." Na minha vida, amar a arte que há em mim tem sido uma verdadeira fonte de contentamento. Quando amamos a arte que há em nós, estamos amando o Criador divino, e o nosso sucesso é medido pela bênção divina e pelas abundantes dádivas concedidas pelo Criador.

Os anjos sabem que você é bem-sucedido

1. Comece a pensar no sucesso em termos de seus próprios valores e você nunca irá fracassar. Você irá conhecer-se e educar a si mesmo. Na verdade, talvez devêssemos redefinir a palavra *sucesso* e permitir-nos ser livres para viver segundo os nossos padrões e valores mais elevados.

2. Faça uma relação de novas maneiras pelas quais você pode encarar o sucesso na sua vida.

3. Faça uma relação de maneiras pelas quais você sente que os anjos consideram o sucesso.

4. Assuma uma posição. Descubra o que tem para dizer e diga. Pense no que você representa. Isso é verdadeiro? Você sabe o que representa? Se não sabe e quer deixar a sua marca no mundo, é melhor você descobri-lo e dispor-se a agir de acordo com isso. Não estou dizendo que você deva lutar pelas suas opiniões. Você tem dentro de si algo que espera ser dito, e os anjos podem ajudar você a dizê-lo. Assumir uma posição envolve reexaminar os próprios valores e perguntar a si mesmo: eu defendo os meus valores? O verdadeiro sucesso implica a descoberta

de quem você é e ficar à vontade com quem você for. Quanto mais você souber sobre si mesmo, tanto mais saberá como viver de acordo com os seus próprios valores. Você terá a sua maneira peculiar de fazê-lo, e conseguir isso vai lhe dar graça e alegria interior — o verdadeiro sucesso. Dê espaço ao seu crescimento e expansão.

5. Faça uma relação do que atualmente é verdadeiro para você. Muitas das nossas verdades permanecem ocultas, mas não deixam de causar grandes efeitos no nosso estilo de vida. A seguir, apresento exemplos de algumas das verdades de que tomo consciência no momento atual. O engraçado disso tudo é que essas verdades podem mudar. Quando você as estiver lendo, elas podem não ser mais as minhas verdades; mas isso é apenas a natureza da verdade, assim como um lembrete a mais para não nos levarmos demasiado a sério. As minhas verdades hoje são:

- Há uma resposta espiritual para cada problema físico ou psicológico.
- Deus é amor.
- A vida é estranha e cheia de maravilhas.
- Estamos aqui por uma razão criativa.
- Nossa imaginação é um lugar de verdade e encanto.
- Esta relação não tem fim, e estarei sempre descobrindo outras verdades.

Crie o seu espaço

É muito importante desobstruir a mente. Para mim, a criatividade é bastante prejudicada justamente pela tagarelice e pela obstrução visual da vida. É de fato fundamental ter um espaço realmente claro para que tudo venha à tona.

Alice Walker

Por vezes, quando me sento e tento escrever ou fazer algo criativo, sinto-me culpada — como se não tivesse tempo para isso ou devesse estar cuidando da vida. Preocupações e pensamentos sobre outras pessoas começam a interferir, e eu eventualmente acabo me desviando e não escrevendo muito. Uma maneira de escapar a isso é criar um "espaço sagrado". Quando sentir uma preocupação ou pensamento invadir o seu espaço sagrado, diga à interferência externa que se vá embora *agora* — este é o momento da criatividade. Todas as questões aparentemente urgentes podem esperar até depois desse momento reservado. Quando estiver no seu espaço sagrado, você irá prosperar seguindo estas diretrizes:

- Nada de se preocupar.
- Nada de se agitar.
- Nada de pensar nos problemas do mundo.
- Nada de pensamentos sobre a dor física.
- Nada de atender ao telefone.
- Nada de televisão ao fundo.
- Nada de sentimentos de culpa.

Outra maneira de ter consciência do espaço sagrado é permitir que o espaço em que você vive fique impregnado com a sua essência. Mesmo que esteja morando temporariamente num lugar (quem não está?), você pode tornar seu o espaço vital e exteriorizar partes de si de que gosta de se lembrar. Muitas pessoas colecionam bibelôs de anjos ou outros materiais relacionados com os anjos. Ter ao seu redor objetos que o lembrem dos anjos pode ajudá-lo a se manter concentrado na luz e na ajuda divinas que estão sempre à sua disposição.

Espaço disponível

1. Crie com os anjos um espaço de proteção. Quando precisar de espaço sagrado, peça aos anjos que o ajudem a visualizar em torno de você um escudo protetor de luz. Os anjos ficarão voando ao redor dos limites desse escudo para afastar quaisquer influências negativas que possam interferir na sua energia criativa. Eles podem até interceptar telefonemas ou visitas até que você possa recebê-los.

Lembre-se sempre de que você tem um *santo dos santos*, um lugar sagrado no seu interior, que você precisa proteger. Esse espaço interior não é apenas um lugar para a sua mente; é um local sagrado privado, habitado por todo o seu ser. Para mantê-lo puro e pleno de energia, você pode co-criar proteção com o seu anjo da guarda. Se algo não parecer bom, afaste-o. Algumas pessoas desenvolveram tão intimamente o seu *santo dos santos* que, no momento em que se sentem incomodadas, não esperam que a mente explique (o que pode acontecer tarde demais); em vez disso, permitem que os seus sentimentos interiores as afaste daquilo. Conheço pessoas que ficam enjoadas quando sentem energia negativa; elas às vezes não acreditam nos próprios sentimentos, mas depois a verdade confirma suas reações iniciais. Tenha consciência e peça ao seu anjo da guarda para ajudá-lo a manter o seu *santo dos santos* são e salvo. Então, vá em frente com a orientação e não olhe para trás.

3. Proteja o seu plexo solar, localizado no ventre. Pessoas sensíveis podem pensar que a maioria dos influxos negativos com os quais têm dificuldade de lidar vem através da mente; mas o mais danoso vem, na verdade, através do plexo solar. As pessoas sensíveis em geral têm mente muito atenta e aguçada. Assim, sentem e sabem intelectualmente quando algo está errado; o problema é que às vezes se esquecem de proteger o plexo solar. Quando você tiver a sensação de que algo está errado ou de que há algo "sombrio" por perto, peça aos seus anjos que o ajudem a emitir luz pelo plexo solar para se proteger; ou visualize os anjos ajudando você a pôr uma armadura de "luz" para protegê-lo.

Crie o não-convencional

A criatividade pode substituir o conformismo como modalidade essencial da vida em sociedade. Podemos nos apegar ao que está passando ou já passou, ou podemos permanecer acessíveis ao processo criativo, e até render-nos a ele, sem sustentar que sabemos de antemão o desfecho último para nós, para as nossas instituições ou para o nosso planeta.

Stephen Nachmanovitch,
Free Play: Improvisation in Life and Art

Embora eu aprecie alguns hábitos, rituais e cerimônias, acredito passionalmente que é importante ser um pouco não-convencional. Não digo que o sejamos a ponto de incomodar os outros ou de atacar as suas crenças; essa agressão não serve a ninguém. *Não-convencional* significa não preso aos costumes ou convenções, e denota o incomum. Ser não-convencional é importante porque promove a liberdade pessoal de expressão. Do mesmo modo, pode nos ajudar a encontrar novas maneiras de apresentar idéias e a descobrir formas diferentes de fazer a mesma coisa, maneiras que possam refletir com mais fidelidade o nosso estilo. A idéia de ser não-convencional pode ser um tanto assustadora para algumas pessoas, caso sintam que não vivem num ambiente que as apóie. Cresci numa cidade conservadora, onde o que quer que fosse incomum causava grande curiosidade. Toda indicação de que um vizinho pudesse ser excêntrico despertava o interesse de todos. Uma vez uma professora de arte que conheço, dessa mesma cidade conservadora, pintou a porta da frente de laranja brilhante, e os vizinhos ficaram muito aborrecidos. Se tudo o que tinham para se preocupar era com uma porta laranja, deviam ter ido lá e beijado aquela porta! Com freqüência, temos de ser corajosos e assumir uma posição quando queremos nos expressar.

Expressão não-convencional

1. Dizem que a razão de tantas pessoas "loucas" viverem na Califórnia é que todos os pioneiros e inovadores que desejavam mais liberdade seguiram o rumo do Oeste, afastando-se de cidades convencionais, conservadoras. Não tenho certeza se acredito nisso, pois fui criada na Califórnia, mas descobri que muitas pessoas definitivamente foram para o Oeste para encontrar um sentido de liberdade. Se você estiver se sentindo dolorosamente reprimido por causa do lugar onde vive, talvez pense em se mudar. Se você se sente reprimido mas gosta do lugar onde vive, descubra maneiras de suavemente ser você mesmo. O mundo está em constante mudança, e podemos ajudar essa mudança por meio da expressão da nossa criatividade e da auto-expressão, independentemente de isso se enquadrar ou não nas expectativas alheias. Dê pequenos passos, fazendo pequenas coisas inconvencionais que possam passar despercebidas no início, e aos poucos vá chegando às maiores. Algumas pessoas podem até pensar que aqueles de nós que conhecem os anjos são não-convencionais pela própria natureza da nossa crença e pelo fato de conhecermos algo sobrenatural.

2. Não se importe em ser popular. Quem de fato se importa se os outros "gostam" de você desde que você ame a si mesmo e tenha uns poucos bons amigos e aliados? Se não estiver sendo quem é, as pessoas não vão mesmo gostar de *você*. Tenha consciência do porquê de a mudança e de ser não-convencional poder ser difícil, mas não se incomode demais com esse pensamento. A mudança costuma ser difícil porque temos medo de virar o barco. Vá em frente! Pule de um lado para o outro no barco, mas assegure-se de que está usando um salva-vidas (os anjos) para o caso de você cair.

3. Sempre achei que mais pessoas deviam pendurar flâmulas e bandeiras na frente de casa em ocasiões especiais e incomuns. Essa é uma

grande maneira de ser criativo, em particular se você projeta e costura as próprias bandeiras. É também um modo de ser não-convencional, pois as suas flâmulas podem chamar a atenção das pessoas para algo que incite ao pensamento e seja positivo, como os anjos.

4. Boa sorte! Lembre-se de só revelar o seu lado não-convencional um pouquinho de cada vez e sutilmente envie a mensagem de que não é completamente preso aos costumes ou convenções.

Crie o inesperado

As expectativas e a crença são os escultores da realidade. Aquilo que esperamos será a nossa experiência. Se esperarmos que a recuperação seja difícil, dolorosa e bem longa, será isso o que a vida irá nos dar. Se aprendermos a não ter expectativas, seremos constantemente surpreendidos pelas dádivas da vida.

Joseph V. Bailey, *The Serenity Principle*

Você já sentiu que tem de explicar tudo o que faz a alguma pessoa, conhecida ou não, que pode estar observando? Eu às vezes me sinto assim porque com freqüência, pelas reações que provoco, me vejo fazendo o inesperado. As pessoas costumam me fazer perguntas com "por ques" — Por que você pôs aquilo ali? Por que está lendo isso? Por que estacionou assim? Ao que parece, essas perguntas surgem porque eu não fiz o que se esperava. Como todos sabem, as pessoas muitas vezes ficam incomodadas quando suas expectativas não são atendidas. Podemos deixar que as reações de incômodo dos outros aprisionem e limitem a nossa liberdade criativa quando pensamos demais no que os outros poderão pensar ou esperar, ou quando ficamos apegados demais às nossas próprias expectativas.

Às vezes, quando estou escrevendo, começo a seguir uma certa direção ou a usar uma certa palavra porque acho que é o que os outros esperam. Assim que percebo que estou seguindo uma expectativa, mudo de direção e sigo o que de fato quero dizer e fazer. O meu critério é que tenho de ser fiel a mim mesma. É muito comum que tentemos projetar lógica em tudo quanto fazemos, e a lógica é na verdade somente um processo de falar consigo mesmo, de tentar extrair sentido dessa força dinâmica chamada vida. Por que se incomodar? Cuide apenas de se expressar.

Comece a perceber na sua própria vida as ocasiões em que você se comporta de uma determinada maneira porque alguém pode esperar isso e você está tentando evitar que se façam questionamentos ao seu comportamento. Alguém sábio disse certa vez: "Recuso-me a viver de acordo com as expectativas de quem quer que seja." Recuse-se você também. Damos uma boa lição a todos quando fazemos o inesperado. Claro que nunca vou sugerir que se faça o inesperado só para sacudir os outros ou chocá-los. Tudo o que precisamos fazer é ser fiéis a nós mesmos.

Expresse, não espere!

1. As armadilhas da expectativa incluem linhas retas, cores aceitáveis, gramados cuidados, o comportamento "normal", o uso correto da língua, conceitos de certo e errado, e assim por diante. Pense em algumas armadilhas potenciais que você percebe na sua própria vida.

2. Os anjos nunca esperam que você seja algo mais além de um ser de amor. Eles farão você saber que, quando pára de esperar, você consegue todas as coisas.

3. Lembre-se de que não tem de dar explicações a ninguém. Quando nos manifestamos de uma maneira que as outras pessoas não entendem, elas podem tentar impor-nos as suas crenças para que tenhamos de admitir que "deveríamos" ter agido de outro modo. Não existe isso de "deveríamos". Siga em frente e faça e espere o inesperado. Exteriorize-se. Se for questionado, você sempre pode citar Fritz Perls:

> *Eu faço do meu jeito, e você faz do seu. Não estou neste mundo para atender às suas expectativas, e você não está neste mundo para atender às minhas. Você é você e eu sou eu; e se por acaso nos encontrarmos, será muito bom. Se não, nada se pode fazer.*

Crie privacidade

O desejo de privacidade não é uma atitude adolescente teimosa; trata-se de um elemento essencial de revigoramento e proteção.

Kay Leigh Hagan, *Internal Affairs*

Não há nada de errado em criar privacidade. Fazê-lo significa que você tem pensamentos particulares que ninguém mais precisa conhecer ou ouvir, atividades privadas de que só você tem conhecimento, e sentimentos particulares que você quer manter só para si. Mesmo que você queira ter um estilo de vida que só partilha com umas poucas pessoas, tudo bem! Eu costumava pensar que não devia manter nada para mim, incluindo pensamentos, sentimentos ou atividades em que estava envolvida. Quando eu os conservava comigo, sentia-me culpada e pouco à vontade por fazê-lo. Imagino que eu pensava que honestidade significa ser franco o tempo inteiro com relação a tudo. Então me dei conta de que não havia problema em ser uma pessoa fechada. Dei-me permissão de escolher quem precisa saber o que, e quando. Algumas pessoas cresceram num ambiente em que não tinham privacidade, sendo esse o motivo por que hoje ficam fechadas demais — sempre isoladas e reclusas — ou simplesmente não sabem como criar a privacidade de que precisam na vida adulta, ou não pensam que seja correto fazê-lo.

Pense nas questões relacionadas com a privacidade e em como você pode criar um nível de privacidade que pareça apropriado à sua vida. Cabe a você decidir o grau de intimidade que quer ter com as pessoas. Em cada amizade, há diferentes níveis de relacionamento, e cada amizade ou relacionamento que você tem são únicos. Você tem direito de proteger a sua saúde mental. Se quiser não contar nada às pessoas, ninguém tem nada com isso; você não está violando o direito à informação de ninguém, porque isso não existe. Não há no universo regras que digam que, para ser um bom amigo e uma boa pessoa, você tem de levar uma vida totalmente conhecida por todos, pronto a falar de tudo com qualquer pessoa que apareça.

Os anjos respeitam a sua privacidade

1. Sua criatividade constitui uma maravilhosa arena para a expressão de pensamentos, sentimentos ou experiências privadas. Você pode pintar um quadro com um certo significado, e ninguém além de você precisa saber. Você pode escrever um poema cifrado. Pode escrever um romance com personagens que representam um aspecto particular seu. Pode re-

gistrar seus sentimentos no diário usando um código secreto ou escrever sobre si mesmo na terceira pessoa, usando um codinome secreto.

2. Imagine que os anjos conhecem os seus segredos. Partilhe com eles os seus pensamentos particulares. Os anjos são a sua torcida particular; eles torcem pelo seu bem maior e, por vezes, ser reservado contribui para esse bem maior.

3. Se alguém lhe fizer uma pergunta direta sobre algo particular e você não quiser responder, pergunte a si mesmo: "Esta pessoa realmente precisa saber disso?" Quando a pergunta é pessoal, você é o juiz. Peça aos anjos que o ajudem; eles, na verdade, podem criar uma barreira para proteger a sua privacidade. Se você sentir que alguém está invadindo ou prestes a invadir a sua privacidade, peça aos anjos para mudar o assunto por você. Sinta-se protegido; os anjos respeitam a sua privacidade. Uma maneira de desviar uma questão invasiva é repetir a pergunta como uma afirmação para a pessoa que pergunta; então, diga com polidez que não se sente à vontade para responder à pergunta no momento.

Crie alegria

Não se trata de afirmar que a prática é necessária à arte; ela é a arte.

Stephen Nachmanovitch, *Free Play*

Para ter a experiência do verdadeiro prazer a partir da sua criatividade profunda e misteriosa, você tem de persistir. Um encontro criativo não basta. Isso significa que você tem de praticar. Não designo por prática criar um momento forçado, regulamentado, estrito ou disciplinado em que você se empenhe em tentar aprender alguma coisa ou em que você repita algo a ponto de não agüentar mais. Refiro-me a ter uma permanente alegria com a sua criatividade, tornando a prática uma busca de diversão e contentamento. Praticando assim, você cria um momento especial em que pode brincar com novas cores nos quadros que pinta, ouvir um tipo de música que você costuma evitar, jogar argila nas paredes e no chão, ou até escrever juramentos no seu diário. Em outras palavras, transforme o tempo de prática em algo mais do que voltar outra vez ao "de sempre". Praticar dessa maneira vai ajudá-lo a invocar a musa e a descobrir uma criatividade oculta que de outra maneira você não perceberia.

A prática não traz a perfeição, porque aqui na Terra isso não existe. Pode, porém, proporcionar à sua criatividade um sentido de grandeza, bem como infundir coragem em você. Com a prática, você pode entrar numa maior "sintonia" com a sua arte, tornar-se mais espontâneo naquilo que faz e que é. Se você não está aproveitando a si mesmo quando pratica, pare e veja por quê. Já temos bastantes tensões e obrigações na vida, e não precisamos levar esses problemas para os nossos momentos de criatividade.

Praticando a alegria dos anjos

1. Pense em novas maneiras de usar a sua criatividade. Talvez você possa aprender mais sobre uma forma de arte ou sobre a criatividade fazendo algo que você não está acostumado a fazer, e então transferindo o que aprendeu para aquilo com que está familiarizado. Brinque, faça experiências e aproveite a prática. Sendo ela parte integrante da vida, torne-a divertida.
2. Pratique tendo os anjos como mestres especiais. Brinque com o que está criando e então pare e receba a sabedoria dos anjos. Pergunte-lhes como fruir ainda mais a sua prática!

Crie celebração

Celebrar é partilhar a memória comum e, portanto, esquecer a particular. Tudo se torna um outra vez. O passado se faz presente; o presente se faz passado; o futuro é esquecido ainda aqui: é assim que Deus pensa no tempo. Afinal, Deus não se lembra do futuro, mas está presente por inteiro em todos os tempos.

Matthew Fox, *Whee! We, Wee All the Way Home*

Celebrar significa honrar um evento com festividades, "festejar" e mostrar que um determinado dia ou evento é importante. Celebramos em feriados óbvios, mas às vezes é divertido encontrar algo novo e desconhecido para celebrar. Muitas pessoas podem assim dar asas à sua criatividade. Pensar em algo proveniente do nada e celebrar. Por exemplo, e se a palavra *cebola* viesse à sua mente? Como você celebraria cebolas? É fácil. Faça sopa de cebolas, sirva-a com pão de cebola, descubra alguma informação peculiar sobre elas e passe-a a qualquer pessoa com quem você falar nesse dia. Faça o quadro de uma cebola, aprenda a fazer malabarismo com cebolas, brinque com cebolas, plante cebolas, e assim por diante. Há muitas maneiras de celebrar, e uma vez que você desenvolva um estado de espírito de celebração, descobrirá que o mundo está cheio de possibilidades para alegres celebrações.

Vamos celebrar!

1. Eis algumas idéias para celebração: comemore a si mesmo, a sua cor favorita, o arco-íris, o botão de uma flor, os gatos, o sol e a lua, a sua comida preferida ou um poeta ou escritor predileto. E, é claro, há muitas maneiras de celebrar os anjos!
2. Faça uma altar para honrar o tema da sua celebração. Vista-se de acordo com ele. Viaje com os anjos e celebre a vida!
3. Entreter significa "divertir, ocupar-se agradavelmente, criar diversão e receber uma pessoa com hospitalidade". Alimentar uma idéia significa tê-la em mente. Cultive a idéia de que a vida é divertida. Considere a possibilidade de celebrar com os anjos todos os momentos especiais de cada dia. Você divertiu os seus anjos ultimamente?

Crie a dança

Para aqueles que se relacionam com o mundo de modo mais cinestésico do que imaginativo, a dança é fundamental e costuma produzir uma súbita percepção de implicações mais profundas.

Jean Houston

A dança da vida é mais do que um movimento físico, é mais do que o ritmo. A dança é uma metáfora da vivência espiritual e dos relacionamentos. Se você se vê dançando vida afora, irá perceber que às vezes estará dançando sozinho, contando apenas com a companhia dos anjos. Em outros momentos, você estará dançando num grupo e os seus movimentos dependerão da mente desse grupo. Também haverá ocasiões em que você poderá entrar numa dança íntima com um parceiro especial. A dança da vida pode ser lenta, rápida, vívida, solene, silente, ruidosa;

pode envolver dar, ou receber; é um movimento espiritual da alma, do espírito e do corpo.

Dance ao ritmo da sua própria música. Junte-se à dança cósmica do universo. Pense nas várias culturas do mundo; cada uma tem pelo menos uma dança especial. Pense na liberdade que dançar traz à sua alma. Dançar pode ser uma maneira de louvar o Criador. Aprecie a dança sempre que se apresentar a ocasião. Lembre-se de que os anjos estão dançando na sua consciência, despertando a sua alma para a força vital criativa que está ao seu redor.

Valsando no limiar

1. Alugue um filme de Fred Astaire ou um velho musical, ou então tome aulas de dança. Assista espetáculos de dança folclórica ou entre num curso para aprendê-la. Pense em todos os diversos tipos de aulas de dança oferecidos. Se decidir entrar num, leve consigo os anjos como parceiros invisíveis.
2. Uma forma muito especial de dança que minha amiga Shannon e eu praticamos há anos é a dança na sala de estar. Ponha sua música favorita para tocar e dance sozinho na privacidade da sua sala de estar. Convide os anjos a se juntar a você.
3. Observe a sua própria dança da vida e pergunte a si mesmo se não precisa de algum ingrediente para melhorar os passos. Se necessário, seja criativo e introduza alguns movimentos novos na sua dança cotidiana com a vida.

Crie originalidade

Todo ato criativo envolve uma nova inocência de percepção, proveniente das cataratas da crença estabelecida.
Arthur Koestler

Dizem que não há idéias novas. Se você vem com uma idéia que julga original, é provável que alguém em algum lugar já a tenha tido ou logo venha a tê-la. Muitas idéias são copiadas intencionalmente, por vezes deixando de lado os artistas que primeiro as apresentaram. Há ladrões de idéias no mundo, e pessoas que pensam que podem tomar a criatividade de alguém e melhorá-la, mas não deixe que isso o impeça de se esforçar por ser original. Jamais desista; se continuar a crescer e a viver criativamente, você será um vencedor.

Dentro da palavra *original* está a palavra *origem*. Qual a origem da criatividade? Quem começou tudo isso? De onde as idéias realmente vêm? Pense nessas perguntas e procure as suas respostas. Lembre-se de que se comunicar com palavras pode constituir uma limitação. Como podem as palavras exprimir realmente um mistério? Como podem expressar as mais profundas verdades espirituais? Evite apegar-se a palavras e conceitos; brinque com eles e não os leve muito a sério.

A definição de "original" no *Oxford American Dictionary* é: "1. algo que existe desde o início, primitivo; 2. ser algo de que uma cópia ou tradução foi feita; 3. em primeira mão, não imitado; novo em caráter ou forma; 4. pensar ou agir por si mesmo, inventivo, criativo — uma mente original." Isso implica que, para ser original, você tem de ser o primeiro a fazer algo. Mas como ser o primeiro se não há nada de novo sob o sol?

Se pegar uma idéia, nova ou velha, se colocar nela o seu coração e apresentá-la ao mundo à sua própria maneira, você terá criado originalidade. Quando você pede, numa sala cheia de crianças, que desenhem uma árvore, uma casa e um sol, você consegue muitas representações diferentes das mesmas idéias. Considere o fato de ser original como ser puramente você — criar pureza —, descobrir a sua voz criativa. Se a origem das suas idéias forem o seu coração e a sua alma, você será original.

Renovando a sua fonte

1. Quando você se vir sem idéias ou num estado de confusão, pensando que não tem idéias originais, pode ser bom afastar-se dos estímulos exteriores por uns dias. Isso quer dizer: pare de ler por alguns dias; desligue a televisão; limite os telefonemas; e faça tudo o que puder para se livrar das influências exteriores. Durante esse período, não se incomode com perguntas. Não reflita sobre os "porquês". Simplesmente dê uma parada. Pode ser difícil, mas você vai conseguir. Em lugar das atividades que você interrompeu, você pode ouvir música instrumental, caminhar, fazer exercícios, tirar uma soneca, devanear, brincar com argila, pintar quadros a partir da imaginação, cozinhar e fazer tudo o mais que você ache que não requer o uso de palavras. Peça aos seus anjos estímulos celestiais. No final desse intervalo longe das palavras, você vai se sentir renovado. Se não se sentir nem um pouco diferente, não se

aflija, porque, em algum nível, você recarregou as baterias da sua criatividade.

2. Se você experimentar a sugestão acima e gostar, talvez possa não ler uma vez por semana; uma vez por semana desligue o rádio e a TV. Mesmo que você só faça uma hora de intervalo, a simples mudança de rotina pode ajudar. Pense em outras práticas que ajudem *você* a ser puramente *você* e integre-as à sua vida como elementos permanentes.

3. Evite comparações. Pare de jogar o jogo da comparação. A comparação não existe. Cada criação é uma dádiva em si mesma. Não se apegue ao estilo ou à originalidade, pois você pode perdê-los. É impossível copiar expressões do coração. Se o seu coração estiver naquilo que você cria e os outros tentarem copiar, os esforços que fizerem serão áridos — e não suculentos e vivos.

4. Seja prolífico. Ser prolífico significa produzir muitos frutos ou muitas flores. Pense à frente com a sua criatividade e mantenha-se em movimento. Não pare em um ou dois quadros, em um ou dois livros, em uma ou duas composições, em um ou dois jantares criativos; crie e depois crie outra e outra vez. Essa é uma boa maneira de aperfeiçoar a sua habilidade e de criar originalidade. Lembre-se de que a ferrugem se forma em máquinas que não são usadas e que águas paradas apodrecem. Seja prolífico e a sua energia criativa vai fluir e se expandir, e os anjos vão se expandir com você.

Crie visão

O que quer que você possa fazer, ou sonhe poder, comece. A perseverança tem em si o gênio, a força e a magia.

Goethe

Você fica preso à árvores, emaranhado nos ramos, ou sente a floresta? Você vê a paisagem como um todo? Quando você se vê perdido entre os detalhes triviais de um projeto criativo, como você se eleva acima disso? Uma maneira pela qual as pessoas podem sabotar a sua criatividade consiste no apego a todo gênero de pequenos detalhes e preocupações, e em não dar prosseguimento ao seu projeto ou esforço em busca de uma meta. Muitas dessas preocupações só terão a oportunidade de tomar forma *depois* que você tiver terminado o projeto; e, nessa ocasião, você não as vai encarar como preocupações, mas como problemas a serem resolvidos de modo criativo. Sempre existem muitos motivos de preocupação e inúmeras desculpas para não se fazer algo. A maneira de nos livrarmos disso é manter na consciência a visão do projeto acabado ou a sua idéia fundamental com espaço para crescimento. O próximo passo a dar é acreditar que você é protegido e saber que o que quer que aconteça no futuro haverá de cuidar de si mesmo com a ajuda da sua engenhosidade e dos anjos, quando o momento chegar. Você provavelmente ouviu dizer que uma jornada de mil quilômetros começa com o primeiro passo (para a frente). Um projeto criativo também tem muitos passos, e estes levam você à sua visão. Peça aos anjos que o ajudem a manter uma visão do quadro em toda a sua amplitude.

Aproveite o quadro em toda a sua amplitude

1. O quadro em toda a sua amplitude é mais do que um "quadro" ou uma visão; ele é uma essência. Mantenha a consciência de que ele é um processo sujeito a "mudanjos" (os anjos da mudança). Mantenha uma concepção flexível e positiva do seu quadro. Comece a pensar em seu conceito geral e registre alguns pensamentos.

2. Alugue o filme *Creator*. O personagem de Peter O'Toole fala constantemente sobre o quadro na sua amplitude nessa deliciosa história.

3. Faça uma lista de interferências e de pequenos problemas que o mantêm paralisado. Ao lado de cada item, especifique se o problema já aconteceu ou se é uma possibilidade futura. Se você estiver com um problema no momento, pense em como os anjos podem ajudá-lo a livrar-se dele com a visão que têm de cima. Eu asseguro que, quando começar a ver melhor o quadro, você não levará tão a sério os pequenos detalhes, ficando assim livre para criar a sua visão.

4. Os anjos são a equipe do quadro em toda a sua amplitude, a turma dos bastidores. Pense na sua função como a de um diretor ou ator e imagine os anjos desempenhando a maioria dos outros papéis. Deixe que a sua imaginação siga isso e mantenha em mente que a vida é um quadro em toda a sua amplitude.

Crie possibilidades

Creio que os anjos são formas, imagens e expressões pelas quais as essências e forças energéticas de Deus podem ser transmitidas, e que, como existe um número infinito dessas for-

mas, o maior serviço que alguém pode prestar às hostes angélicas é nunca limitar conscientemente o modo pelo qual os anjos podem aparecer diante de nós.
Don Gilmore, *Angels, Angels, Everywhere*

Sempre há possibilidades. O que é uma possibilidade? Uma possibilidade é algo que pode existir ou acontecer, algo a ser descoberto. Sempre há possibilidades positivas — infinitas idéias sobre o que pode ser descoberto. Lembre-se de que, se você pensou em alguma coisa (uma possibilidade), essa coisa existe. Uma maneira de criar possibilidades é ignorar estatísticas. Ouvimos, com muita freqüência, desanimadoras estatísticas. Talvez você queira vender a sua casa e alguém lhe informe que é melhor você esquecer, porque ninguém está comprando casas na sua rua. Ou talvez você de fato queira trabalhar num campo em que há excesso de profissionais e ouve dizer que deve estar louco ao estudar tal assunto porque nunca conseguirá um emprego, etc. Esqueça as pessoas do contra. Se quiser fazer alguma coisa, faça-a, estude-a, crie-a. As possibilidades de um resultado positivo estão à sua espera. Como disse o arcanjo Gabriel: "Porque nada é impossível para Deus" (Lucas 1:37).

Nada é impossível!

1. Se você precisar de uma solução, de um plano ou de um objetivo, comece buscando idéias e possibilidades em toda parte. Fazê-lo vai ajudar você a acreditar que pode confiar em si mesmo para obter soluções criativas. Peça ajuda aos anjos, e você ficará surpreso com as possibilidades.
2. Se você tem o seu próprio negócio ou trabalha com outras pessoas, a busca e listagem de possibilidades podem ser muito estimulantes quando todos se envolvem e pedem que os anjos os inspirem.

Crie educação

A vida é uma escola. Por que não tentar cumprir o currículo?
Provérbio

Você agora é um aluno da Divina Universidade da Vida; logo, é época de preparar-se para o conhecimento superior. Esteja certo de que o conhecimento espiritual está surgindo no seu caminho, porque os anjos estão na escola com você. Eles são os seus orientadores e o assistem na escolha das matérias a estudar. Eles também ajudam dando-lhe informação no momento certo. Os anjos o ajudam a criar na mente um hábitat espiritual para o pensamento criativo. Eles também trazem luz à nossa mente para que possamos alcançar a clareza, e o fazem de modo alegre, positivo.

Enquanto freqüentamos a Divina Universidade da Vida, é importante que pensemos por nós mesmos e promovamos o livre pensar, especialmente no campo espiritual. Thomas Jefferson disse certa vez: "Jurei perante o altar de Deus eterna hostilidade a toda forma de tirania sobre a mente do homem." O credo político de Jefferson tinha como base a sua fé última de que o "homem" tem "capacidade de melhorar, de aprender e de compreender a si mesmo e ao mundo". Jefferson conhecia demasiando a natureza humana para ter nela confiança, mas acreditava que, em condições adequadas, era possível crer que os seres humanos pensassem e fizessem a coisa certa — caso fossem livres, educados e "habituados a pensar por si mesmos e a ter a razão como guia". Acho que os anjos às vezes sentem o mesmo com relação a nós.

Lição de casa

1. Pense na Divina Universidade da Vida, que os anjos dirigem, e reflita sobre as seguintes perguntas: Qual o curso que você faz nessa Universidade? Você pretende fazer mestrado ou doutorado? Ou está apenas começando, com o entusiasmo e o fascínio de um calouro? Você tem excesso de confiança, como um veterano? Está ocupado como alguém nos primeiros anos? Ou apenas começa a ter uma idéia do quadro total no seu último ano? Claro que isso é apenas uma velha brincadeira angélica — não a leve a sério.

2. Considere as seguintes diretrizes estudantis:

- Estude o que é do seu interesse.
- Amplie os seus horizontes mentais e use a mente de modo agradável.
- Busque a sabedoria.
- Seja amigo da biblioteca.
- Chegue às suas próprias conclusões.
- Não "cole" nem procure maneiras fáceis de contornar tarefas difíceis.

- Aceite desafios.
- Lembre-se de que você tem um cérebro que aloja uma mente com acesso ilimitado à energia, e de que raramente um cérebro ou uma mente são usados em sua plena capacidade, se é que chegam a sê-lo.

3. Elabore um plano angélico de estudo, um "horário escolar" para o seu ano de estudo. Há vários cursos sendo oferecidos. Alguns exemplos incluem: Redação Angélica Criativa 201, Práticas Angélicas de Perdão 201, Psicologia Angélica 202 e cursos baseados em outros tópicos, como entusiasmo, inspiração, desapego, comunicação, compaixão, etc.

4. Visualize os anjos ampliando os seus horizontes mentais e energizando as suas células cerebrais, estabelecendo vínculos diretos com o reino dos céus.

Crie relacionamentos

Criar significa relacionar. O significado básico da palavra arte *é articular, algo que fazemos todos os dias. Cada vez que articulamos coisas, estamos criando — seja fazer pão, um filho ou um dia.*

Corita Kent, *Learning by Heart*

Bem poucas coisas me impressionam mais do que relações humanas saudáveis e funcionais. Infelizmente, a razão por que me impressiono tanto é o fato de relacionamentos verdadeiramente saudáveis entre pessoas serem muito raros — pelo menos de acordo com o meu padrão e com a minha definição de *funcional.*

Acho que aprendemos as lições mais difíceis por meio dos nossos relacionamentos com os outros. Um dos motivos é que sempre atraímos espelhos que refletem um aspecto de nós mesmos que precisamos encarar com honestidade, assim como somos atraídos por eles. Passamos por muitas dificuldades para expressar os nossos sentimentos e pensamentos. Isso se deve ao fato de as palavras serem sobremodo limitadoras e de nos esquecermos de usar nossa criatividade para descobrir novas maneiras de auto-expressão e de comportamento nos nossos relacionamentos.

Vínculos expressivos

1. Pense em novas e criativas maneiras de auto-expressão nos seus relacionamentos. Descubra caminhos angélicos que cruzam os seus relacionamentos e promova-os.

2. Escreva, usando o fluxo da consciência, sobre quaisquer questões que você possa ter com determinadas pessoas. Deixe-se levar pela corrente e permita que os seus pensamentos se aprofundem e se ampliem enquanto você escreve.

3. Faça dois desenhos de alguma pessoa íntima com a qual você por vezes tem dificuldade de entendimento. Agora esses desenhos são espelhos. Escreva dentro de um deles aspectos da pessoa que atraem você e, no outro, aspectos que o afastam ou incomodam. Então, finja que você está olhando para esses espelhos e vendo o seu próprio reflexo. Não leve muito a sério se perceber algo no espelho "negativo" que você precise reconhecer. Dê boas risadas disso. Somos de fato bem divertidos quando damos uma olhada nos nossos relacionamentos. Eu estou sempre me perdoando por ser tão ridícula e séria acerca do fato de não levar um relacionamento da maneira mais positiva. Assim, divirta-se um pouco criando os seus relacionamentos. Eles irão proporcionar-lhe as maiores alegrias e realizações na vida — e, provavelmente, as maiores frustrações. Por isso, vá com calma; no fim, tudo dará certo.

Crie expansão do tempo

Ver um mundo num grão de areia, e o céu numa flor silvestre,
ter o infinito na palma da mão e conter a eternidade numa hora.

William Blake

Uma maneira eficaz de vivenciar o angélico reino do céu é brincar com idéias de tempo e de espaço. Isso pode ser difícil para quem cresceu num mundo de relógios e de calendários. Algumas culturas aborígines não têm relógios. Elas medem o tempo como "o agora" ou "todos os outros tempos". Você pode já ter-se visto numa situação em que o tempo parecia suspenso. As experiências místicas costumam dar a impressão de que o tempo parou. Em nossos sonhos, o tempo não é medido; sonhos que parecem durar horas podem ter levado apenas dois minutos do relógio. Não se perturbe com isso. Apenas comece a tornar a sua mente receptiva à idéia de que "o tempo não é linear". Esse é um exemplo de situação em que as palavras simplesmente não funcionam. Plante a semente de que o seu desejo é ir além dos padrões temporais do mundo, e você terá lenta mas seguramente, novas percepções do espaço e do tempo dos anjos. Os anjos operam fora dos nossos limites temporais. Eles podem contrair e expandir o tempo quando precisam.

O tempo não é linear

1. Faça a si mesmo algumas perguntas acerca do seu relacionamento com o tempo:

- Quando tenho acentuada consciência da passagem do tempo?
- Quando me esqueço do tempo?
- Quando me dei conta pela primeira vez da relatividade do tempo?
- Que outros momentos atemporais já vivenciei?
- Que significado tem para mim a expressão "fluxo seqüencial do momento"?

2. Faça a seguinte meditação sobre o tempo: entre num estado de meditação com os seus anjos, absorva o momento e vivencie o domínio em que o tempo não existe — o reino do céu. Explore as idéias de diferentes níveis de vibração que existem no mesmo espaço. Pense na idéia de que tudo está acontecendo ao mesmo tempo neste exato momento. E lembre-se de manter a atividade divertida, leve e angelical. A descoberta de novos sentimentos e conhecimentos sobre o tempo está relacionada com a liberdade do seu espírito. Escreva acerca da sua meditação sobre o tempo.

Crie um gosto eclético

O artista não é um tipo especial de homem, mas todo homem é um tipo especial de artista.
Meister Eckhart

Eclético significa selecionado ou aceito de várias fontes. Um *gosto* é algo que você considera agradável e satisfatório. Acho divertido gostar de muitas coisas diferentes, que não tenham de seguir necessariamente uma tendência ou padrão particular. *Eclético* é uma palavra usada com freqüência para descrever o gosto musical de alguém. Isso acontece porque há muitos tipos e gêneros de música entre os quais escolher. Não seria terrível ter de tomar sempre o mesmo tipo de sorvete, não por querer, mas por sentir que provar outros sabores poderia levar as pessoas a pensar que você é um certo tipo de pessoa? Bem, acho terrível quando as pessoas pensam que têm de ouvir apenas um tipo de música. Quando isso ocorre, elas estão perdendo todo um universo de delícias sonoras. A música é uma das mais agradáveis companhias dos nossos estados de espírito e emoções. Às vezes fico com vontade de ouvir músicas antigas, mas em outros momentos irrita-me muito ouvir canções do passado. É muito comum que eu ouça música *country* enquanto dirijo e música clássica ou *new wave* enquanto escrevo.

O problema de ficar preso a uma categoria pode transferir-se para muitas áreas da nossa vida. Uma grande área é o tipo de livros que lemos. Meus amigos às vezes riem muito quando vêem os tipos de livros e revistas que leio. Há momentos em que nada substitui um romance meloso.

Talvez você ache que tem de se vestir de uma certa maneira o tempo todo ou comprar todas as roupas de uma certa loja ou catálogo. Pode ser que, em função da sua idade ou carreira, você ache que um certo estilo de cabelo é bom, quando na verdade você apenas queria deixar o cabelo ficar bem comprido e parecer não produzido.

Devo dizer que, se você está feliz vivendo enquadrado numa dada categoria, não vá pensar que eu não estou respeitando isso. Eu apenas sei, por experiência, que podemos libertar melhor a nossa natureza lúdica integrando um sentido do eclético à nossa vida cotidiana. Também quero reafirmar que não há problema em *gostar* das coisas. Gosto de muitas coisas que fazem outras pessoas torcer o nariz. Às vezes é preciso mais coragem para dizer do que se gosta do que para falar do que não se gosta!

Eu gosto disso!

1. Comece a pensar naquilo de que você gosta e não gosta — aquilo que vive aparecendo na sua frente. Então peça aos anjos que ajudem a guiá-lo para outras coisas de que você pode vir a gostar mas às quais não se tem mostrado receptivo até agora. Talvez seja alguém com quem

você julgou nada ter em comum. Talvez seja uma nova comida, um novo livro ou um novo tipo de música. Eu pessoalmente creio que seria impossível ser eclética demais ou gostar de coisas em excesso. Se as pessoas considerarem errado o seu ecletismo incipiente, não leve a sério. É melhor gostar e perder do que nunca ter gostado! Divirta-se um pouco. Há no universo muito do que gostar.

2. Considere a possibilidade de partilhar os seus gostos com um amigo. Talvez enquanto vocês andam juntos, possam fazer um jogo que consiste em indicar tudo aquilo de que vocês gostam dentre aquilo que vocês vêem. Trata-se de um agradável antídoto para todas as vezes em que fizemos justamente o oposto!

Crie religião

O mais difícil no tocante a confiar em Deus é conhecê-Lo. Infelizmente, embora muitos de nós tenham sido instruídos sobre Deus, não fomos encorajados a conhecê-Lo em nossos próprios termos.

Adriana Diaz, *Freeing the Creative Spirit*

Há alguns anos, cerca de vinte para ser exata, dois membros de um grupo religioso vieram à nossa porta no dia de Natal nos informar que o Natal era um feriado pagão e que estávamos pecando ao dar presentes uns aos outros. Eu acabara de voltar de um belo passeio nas montanhas e, quando a campainha tocou, minha mãe pediu-me para atender. Eu estava com um excelente humor e, ao abrir a porta, imediatamente desejei aos visitantes um entusiástico "Feliz Natal". Um dos dois homens deu um sorriso, mas o outro era sério demais e queria que eu soubesse dos perigos de celebrar um feriado pagão. Ele queria me falar sobre a sua religião, mas eu lhe disse que acabara de criar a minha própria religião e que ela incluía dar presentes e celebrar a nós mesmos, por sermos tão maravilhosos. Foi uma afirmação espontânea porque, na verdade, eu não tinha criado a minha própria religião — pelo menos eu não me dera conta disso na época. Eu sempre acreditei que somos todos maravilhosos e que devemos dar presentes para celebrar esse fato; assim, em termos essenciais, eu sempre segui o sistema de crença da religião que fundei naquele dia.

Os visitantes partiram, parecendo um tanto confusos. O que sorrira chegou até a rir algumas vezes quando eu lhes disse que estava muito satisfeita com a minha religião. Voltei a fazer afirmações para garantir-lhes que não precisava de sua religião, que estava bem e que não me preocupava muito com o aviso de sessenta dias que eles me davam para o fim do mundo. Diverti-me muito naquele dia brincando com a idéia de que tinha a minha própria religião especial. Foi tão divertido que há vinte anos brinco secretamente com a idéia.

Se procurar a palavra *religião* no dicionário, você descobrirá que ela simplesmente significa uma crença na existência de um poder controlador sobre-humano, de Deus em especial, geralmente expressa no culto, sendo usada para definir um sistema específico de fé e de culto, como a religião cristã. Parece-me muito estranho que um conceito tão simples tenha causado problemas tão sérios ao longo da história.

Criar a sua própria religião é uma boa maneira de libertar o espírito e "conhecer Deus em seus próprios termos". Claro que isso não quer dizer que você não possa, paralelamente, ser membro de uma religião organizada. Criar a sua própria religião pode ser algo que você faz em particular, podendo assim mudar e ajustar as suas crenças religiosas à medida que crescer e se desenvolver. Não é nada a ser levado a sério; não passa de algo com que se divertir e que o leve a pensar de maneira mais livre sobre quem você é e em que acredita.

Liberdade de religião

1. Um dos impulsos orientadores do arcanjo Miguel é o livre pensamento. Miguel envia-nos inspiração que nos impele a tornar a nossa mente receptiva a novas maneiras de pensar, encorajando-nos a conceber por nós mesmos onde precisamos estar e como chegar lá. Criar a nossa própria religião pode nos ajudar a tornar livre o nosso pensamento e a conceber idéias por nós mesmos. Pense em maneiras pelas quais os anjos podem ajudá-lo a formar a sua própria religião de modo divertido e bem-humorado. Olhe nos livros que lê, pense em suas crenças e comece a reunir informações de uma maneira que você ache que define a sua religião.

2. Na citação do começo desta seção, Adriana Diaz levanta um ponto importante: "O mais difícil no tocante a confiar em Deus é conhecê-Lo." Pense em como você pode criar a sua própria religião para que ela seja

uma religião que conheça verdadeiramente a Deus. Pense nos momentos em que você se sente especialmente próximo de Deus e leve a esses momentos uma nova consciência. Por exemplo, se se sentir próximo de Deus no seu jardim, vá até lá e pergunte a si mesmo se conhece a Deus. Peça aos anjos que o ajudem a conhecer Deus na sua vida cotidiana, a fim de que você possa confiar nEle de modo pleno.

Crie talento

O talento é algo que não existe; o que existe é atenção concentrada.

Chogyam Trungpa

Poderemos de fato criar talento? Não é o talento algo com o qual nascemos e com relação ao qual não temos escolha? Bem, para dizer a verdade, não tenho certeza. Mas, neste mundo de infinitas possibilidades, creio que podemos criar talento se ampliarmos a nossa visão do que é o talento e se envolvermos os anjos na nossa busca. A definição oficial de *talento* é "capacidade especial ou muito grande". *Capacidade* é "a qualidade que torna possível uma ação ou processo, ou a habilidade e a condição de fazer algo".

Eu de fato acredito que nascemos com uma abundância de capacidade e de habilidade. Eu usaria aqui a palavra *potencial*, mas estou fazendo um boicote pessoal a essa palavra porque acho que ela aponta para algo que não está presente. Às vezes, usamos a palavra *potencial* para desculpar ou criticar pessoas. E o que interessa se as pessoas têm potencial? Tudo o que de fato importa é o que elas estão fazendo agora. Os seres humanos são de fato surpreendentes e raramente têm plena consciência das capacidades que efetivamente possuem. Algumas pessoas voltam de experiências de quase-morte com novos talentos ou habilidades que antes não tinham. Por vezes os anjos vão até as pessoas e lhes pedem que criem algo que elas achavam que nunca poderiam criar. Por isso, amplie as suas idéias sobre o talento e peça aos anjos um renascimento se achar que nascemos com apenas uma quantidade determinada de talento.

Os anjos como agentes do talento

1. Pense nos seus próprios talentos e capacidades e faça uma lista deles. Pergunte a si mesmo se você nasceu com esses talentos ou se os

adquiriu ao longo da vida. Faça então uma lista das maneiras pelas quais os anjos podem ajudá-lo a desenvolver os seus atuais talentos e trazer-lhe mais talentos em outras áreas. Ouvi dizer que nós expressamos os talentos do nosso anjo da guarda. Logo, o nosso anjo da guarda quer que sejamos os melhores e que tenhamos as melhores oportunidades. Pense no seu anjo da guarda como o seu agente do talento, e boa diversão!

2. Faça uma revisão da lista dos seus talentos e capacidades. Pense em maneiras pelas quais os anjos possam dar a você coragem para desenvolver e confiar mais nos seus talentos.

Crie sono espiritual

Somos tão cativados pela nossa consciência subjetiva, e nela envolvidos, que nos esquecemos do antigo fato de que Deus fala principalmente por meio de sonhos e de visões.

C. G. Jung

Nossa vida espiritual não se interrompe quando vamos dormir; ela floresce e se alimenta. O tempo onírico é tempo do espírito e oferece uma grande oportunidade de brincar com os anjos. Muitos artistas acham que recebem inspiração direta para a sua arte por meio dos sonhos. Conheci um músico, quando ambos fazíamos o colegial, que tinha sonhos com pautas escritas. Ele acordava e escrevia as notas, incorporando-as a uma canção no dia seguinte. Os sonhos nos fazem perceber aspectos da jornada da nossa vida, guiando-nos e nos apontando a direção do nosso verdadeiro eu interior e de tudo o que precisamos ver, resolver, criar ou transmutar.

Os sonhos são uma boa maneira de nos darmos conta de que não estamos no controle e de que isso não é um problema! Quando adormece, você entra num mundo em que está à mercê da sua mente inconsciente. Se tiver problema com a questão da entrega na sua vida desperta, lembre-se de que cada vez que você dorme você se entrega verdadeiramente.

Idéias para um sono espiritual

1. Deixe perto de você um de seus aromas favoritos para sentir enquanto dorme. Assegure-se de que haja ar fresco no quarto.

2. Visualize uma porta que leva ao reino angélico e, quando estiver adormecendo, imagine-a se abrindo e permitindo a passagem a você e aos anjos para que vocês se divirtam.

3. Ouça uma meditação dirigida ou uma música suave enquanto faz a jornada para a terra do sono.

4. Evite assistir a noticiários da televisão pouco antes de dormir, pois isso pode perturbar-lhe o sono.

5. Imediatamente antes de ir dormir, concentre-se com suavidade num projeto criativo em que esteja envolvido. Talvez você possa escrever sobre os seus objetivos, visões, esperanças, etc. Então peça aos anjos que durante o tempo onírico lhe dêem a percepção e a inspiração necessárias para o seu projeto. Pela manhã, volte a escrever sobre o seu projeto, especialmente se se lembrar de um sonho relacionado com ele.

6. Brinque com formas criativas de dormir espiritualmente. Os anjos estão por perto quando você vai dormir. Eles podem ajudá-lo a afastar os problemas do dia e dar-lhe uma calorosa sensação de formigamento enquanto você flutua suavemente rumo à terra onírica angelical.

7. Quanto à interpretação dos sonhos, você é o melhor intérprete daquilo com que sonha. Não consulte demais definições de dicionários de sonhos. Permita que os anjos o ajudem a interpretar os seus sonhos.

Crie espaço para o espírito

Espírito Santo, que dais vida a toda vida, que moveis todas as criaturas, raiz de todas as coisas, que as purificais, libertando-as dos seus erros, curando-lhes as feridas, sois a nossa verdadeira vida, luminosa, maravilhosa, despertando o coração do seu antigo sono.

Hildegard de Bingen

O espírito livre quer entrar. O espírito encontrará de qualquer maneira o caminho para a sua criatividade. O espírito dá vida à sua criatividade. Ele tem de se mover em algo que já esteja vivo, pronto para recebê-lo. O toque humano conduz ao fluxo do espírito. Quando eu estudava arte, na infância, meu professor tirou-me das mãos uma régua quando eu estava prestes a traçar uma linha reta e me disse: "O olho é o melhor instrumento de medida." Eu não entendi bem na época, porque, quando criança, eu tinha problemas para desenhar uma linha reta; mas agora compreendo a essência do que o meu professor queria dizer. Outro professor de arte me disse que não há absolutamente linhas retas na natureza. A mensagem subjacente era desenhar e criar o que está dentro de nós sem perfeição nem medida. Em *Os Anjos — Guardiães da Esperança*, discuti a questão de não nos esforçarmos nem nos sacrificarmos na busca da perfeição. Usei o exemplo dos colchoeiros Amish, que sempre se asseguram de que uma parte não seja igual a nenhuma outra num acolchoado acabado. Eles fazem isso para se lembrarem de que o Criador não fez ninguém "perfeito". Eles acreditam que as partes díspares são o local em que o espírito adentra a criação. No jardim de Findhorn, os jardineiros deixam um espaço sem cuidado para que o espírito natural da paisagem possa viver sem a intervenção humana.

Espero que, enquanto você brincar com essa idéia, ela o ajude a se libertar dos grilhões da perfeição tal como me libertou. Hoje em dia, muitos de nós somos atraídos por objetos incomuns feitos à mão ou em casa, ou que dão a essência do fato de virem do coração e das mãos. Quando os propagandistas dos artigos feitos em série tentam copiar essa essência com os seus atraentes anúncios, a coisa simplesmente não funciona. A razão disso é que o espírito tem de entrar numa criação para torná-la viva, para permitir-lhe partilhar o espírito da vida com tudo. Para transmitir a alegria e o amor do espírito criativo, deve haver algo que nos toque o coração e a alma, e não apenas a mente.

A verdadeira perfeição reside apenas no fato de tudo ser justamente o que é, nem mais nem menos. O universo é perfeito; nós, porém, sempre queremos impor-lhe limites e projetar nele as nossas próprias idéias. Para permitir a entrada do espírito em nossas criações, precisamos expressar o que há dentro de nós sem julgamento, pelo puro amor da criação. Dessa maneira, o espírito irá preencher a nossa vida e a nossa alma.

Cante para si mesmo: "O espírito está comigo!"

1. Pense em conhecidos seus que têm muito espírito e o compartilham onde quer que vão. Eles seguem todas as regras e regulamentos do comportamento adequado? Seguem os costumes sociais? Quando as pessoas são verdadeiramente entusiasmadas e animadas, elas por acaso param para se preocupar com as reações alheias? O comportamento perfeito é outra piada — outro ponto de controle. Como queremos estar no controle, tentamos fazer com que as pessoas se comportem de uma

certa maneira quando, na realidade, o espírito quer que elas sejam livres e espontâneas e que aprendam as suas próprias lições. Pense nas regras de comportamento que você possa ter e desista delas. Se se sentir restringido por regras de que não gosta, crie as suas próprias regras — mas só para você! Peça aos anjos que lhe reassegurem constantemente que não há problema em ser animado, e eles estarão presentes para ajudá-lo a se expressar com entusiasmo.

2. Pense na sua aparência física e em eventuais imperfeições que você julga ter. Pense agora nas chamadas imperfeições como lugares em que o seu espírito se comunica e flui. Não somos amados por causa da aparência; não existe amor condicional — é impossível. Seja digno de amor e você terá amor; dê amor e você obterá amor; seja você mesmo e você será amado como tal; tente ser diferente e você se afastará da pureza do verdadeiro amor.

3. Ao criar algo, assegure-se de que haja um "ponto do espírito" (como os Amish fazem em seus acolchoados, nos quais sempre há a disparidade). Esse ponto pode tomar a forma que você quiser: você pode enviar um objeto com uma mancha de café, ou uma palavra escrita errado, assim como pode incluir um pouco de cor num quadro em que ela parece não caber. Não leve o processo muito a sério nem se esforce demais; apenas tenha em mente que você quer que o espírito participe da sua criação e que ele precisa de um ponto de entrada. Os anjos irão ajudá-lo a vencer a síndrome do "tem de ser perfeito".

P.S. Em geral acrescentamos um ponto do espírito mesmo sem perceber!

4. A simplicidade leva à longevidade. Às vezes associamos coisas simples com falta de substância ou de inteligência, mas descobri que o oposto é verdadeiro. A sabedoria encontra na simplicidade um repouso convidativo. Manter as coisas simples dá muito espaço para o espírito. A complexidade pode ser desgastante e cansativa, o que torna aconselhável às vezes cultivar a simplicidade. Pense em maneiras de simplificar a sua criatividade. Não transforme isso numa regra rígida, porque a criatividade complexa também tem o seu lugar; apenas dê a si mesmo a opção de manter as coisas simples quando for adequado.

Crie um diário angélico

Na prática de uma arte, importa menos descobrir quem você é do que se tornar a sua verdade, ser capaz de acabar com todos os artifícios, imposturas e blefes com relação a si e aos outros. A verdadeira arte não é a tolerância do pequeno eu, mas uma manifestação do Eu.

Frederick Franck, *Art as a Way*

Manter um diário permite que você crie um lugar seguro para expressar o seu verdadeiro eu, expressar a sua verdade. Escrevendo um diário, você passa a se conhecer com o objetivo de amar a si mesmo e à vida de maneira plena e proveitosa. No seu diário, você pode fazer experiências com qualquer forma de expressão escrita ou artística que quiser. Não há regras nem regulamentos para o que você preferir fazer com o seu diário. Os objetivos que você estabelece são seus e só seus. Um diário o encoraja não somente a se conhecer mas a tomar conhecimento do mundo invisível dos anjos, que existem para inspirar e guiar você em todos os dias da sua vida. Quando tomei consciência da presença dos anjos na minha vida, iniciei de imediato um novo diário para acompanhar o meu crescimento espiritual e as maneiras pelas quais os anjos estavam me ajudando. Esse diário particular veio a ser a fonte de idéias para o livro *Anjos — Mensageiros da Luz.*

Em *Anjos — Mensageiros da Luz* sugeri a manutenção de um diário angélico por várias razões. A principal delas foi sentir que fazer isso é um grande recurso para conhecer os anjos da nossa vida à nossa própria maneira. Cada um de nós é único, e os anjos têm papéis singulares na nossa vida. Quando comecei a ampliar a minha consciência angélica, não pude encontrar muitos livros nem pessoas que me oferecessem o conhecimento sobre os anjos que eu procurava. Assim, tomei idéias e princípios espirituais básicos e brinquei com a idéia de que os anjos são os nossos auxiliares espirituais, interessados em nos guiar para o nosso bem espiritual maior. Também descobri as muitas outras coisas maravilhosas que os anjos fazem. À medida que a minha consciência angélica se amplia, vou escrevendo.

Aprenda a discernir o que é certo *para você* por meio da manutenção de um diário. Isso pode se alterar, crescer e se ampliar ao longo do tempo. Permita o crescimento. Manter um diário angélico irá ajudá-lo na busca da sua verdade interior acerca dos anjos. Às vezes, os meus pensamentos ou crenças originais sobre os anjos se modificam à medida que reúno mais informações. No entanto, meus sentimentos essenciais sobre os anjos não sofreram alteração. Incluem-se entre eles:

- Os anjos representam o amor divino mais elevado do universo.
- Eles são uma ligação direta entre nós e Deus, o Criador supremo.
- Eles são seres independentes de luz, de amor e de júbilo.
- Quando os anjos entram na nossa vida e na nossa consciência, vivenciamos lições de amor que nos encorajam a crescer além dos nossos sonhos mais fantásticos.
- Os anjos nos ajudam a expressar a nossa criatividade espiritual inspirando-nos por meio do sistema energético do amor.

Sempre que você se achar bloqueado ou paralisado, peça aos anjos que o lembrem de que você é uma alma livre e criativa com acesso infinito a ricos tesouros de idéias surpreendentes que você pode alcançar com a sua própria imaginação.

Idéias para desenvolver no seu diário angélico

1. Leve o diário com você a toda parte. Tire uma soneca com ele. Medite com ele. Faça dele o seu melhor amigo. Permita que ele seja uma extensão de você ou da sua energia, um pouco como um animal de estimação. E, acima de tudo, divirta-se com o seu diário.

2. Eis alguns acessórios e instrumentos úteis que se deve ter à mão para usar no diário:

- Um compasso para desenhar círculos
- Lápis coloridos
- Uma caneta especial com tinta colorida da qual você goste
- Penas e tinta para caligrafia, se isso o interessar
- Um bastão de cola
- Música
- Aromas para inspirar
- Velas
- Pedras e outros objetos de que você goste

- Marcador de texto para destacar revelações de impacto
- Uma caixa para guardar instrumentos, figuras para colagens e outros acessórios a serem usados na confecção do seu diário.

3. Você pode descobrir que, passado um certo tempo, o seu diário se parece mais com um livro de rabiscos. Isso é muito bom; vá em frente! Você também pode manter um livro de rabiscos ou de esboços ao lado do seu diário. Pense em coisas que você gostaria de guardar, como flores secas, fitas, folhas apanhadas num passeio especial, adesivos de anjos, etc. Se você estiver inspirado, cole esses itens no seu diário e escreva uma história sobre eles. Fazer cópias de fotos e *slides* em cores é uma boa maneira de apresentá-los no seu diário.

4. Os pensamentos são livres; os anjos são pensamentos de Deus, e o mesmo se aplica a nós. No seu diário, explore a idéia de pensamentos tomando forma.

5. Encontre figuras de anjos das quais você goste, fotos em que apareceram luzes estranhas e desenhos inspiradores; cole-os no seu diário quando e onde quiser.

6. Escreva sobre você mesmo e sobre o seu anjo da guarda na terceira pessoa.

7. Relacione os seus livros favoritos sobre anjos e faça comentários. Este será o seu guia de referência.

8. Inclua citações sobre anjos que o inspiram. Ou escolha um tópico, como a felicidade, e descubra citações sobre ele.

9. A luz aumentou no mundo à sua volta? Como essa luz o afeta e influencia as situações na sua vida? Deixe uma página reservada para anotar as suas observações sobre a luz e sobre as mudanças que ocorrem ao seu redor.

10. Anote as mensagens vindas do seu coração, afirmações e idéias sobre você de que você goste. Escolha uma delas a cada semana para ser a sua afirmação especial e cole-a num lugar em que você possa vê-la todos os dias.

Capítulo 2

Integridade Espiritual

Quero continuar a viver mesmo depois da minha morte! Por isso, sou grata a Deus por me dar esta dádiva, esta possibilidade de me desenvolver e de escrever, de expressar tudo o que vai dentro de mim.

Anne Frank

A integridade espiritual é inteireza criativa. Somos criadores e temos a escolha de criar para nós mesmos uma bela existência espiritual.

Em algum momento, recebemos uma revelação, e os anjos nos mostram que ser verdadeiramente feliz é estar a serviço do Criador por júbilo e amor. Então, a nossa vida se transforma numa jornada criativa pela glória de Deus.

A criatividade espiritual é um modo de vida, um modo de integridade. É um caminho de integridade. Integridade não envolve apenas algumas crenças ou atos específicos, mas também uma atitude que adotamos e praticamos na nossa vida diária. Amar a si mesmo — voltar a se apaixonar por si mesmo como filho de Deus — é o primeiro passo no processo da integridade espiritual. A palavra *processo* é importante; não se trata de uma mudança de vida repentina, ou que se faz da noite para o dia, mas, antes, de um processo permanente que pode proporcionar-lhe muita alegria.

No fundo do coração sei que os anjos querem que co-criemos mais esperança, alegria, beleza, paz e amor para o mundo. Se tirarmos de cena todas essas qualidades maravilhosas, teremos um mundo cinzento e estéril, com poucas pessoas felizes. Às vezes, quando vejo o noticiário dos jornais ou dou demasiada atenção aos eventos negativos do mundo, começo a pensar que os belos aspectos da vida estão em extinção. Cabe a nós manter vívidos na terra a esperança, a alegria, a beleza, e a melhor maneira de fazer isso é usar a nossa própria criatividade. Por exemplo, pense em como é maravilhoso ver que outras pessoas arranjam tempo para plantar flores nos seus jardins ou em espaços públicos. Pense em como você se sente quando lê um livro, assiste a um filme ou vê um quadro que lhe dá esperança e toca o seu coração. Pense em como você torna o mundo diferente quando sai de casa depois de criar uma aura de paz ao redor de si.

Haverá um sentimento melhor do que exprimir verdadeiramente o seu tipo especial de amor pelo mundo? Isso requer integridade espiritual — fazer o que se diz —, e os anjos ensinam a você essa integridade por meio da criatividade. Faça os anjos saberem que você está disposto a ajudá-los a aumentar a luz e a co-criar beleza, amor, esperança, alegria e paz na terra. Neste exato momento, os anjos estão recrutando ativamente voluntários, e eles escolheram você.

Crie uma obra-prima

Toda pessoa é especial; todos os que existem são um pensamento ímpar de Deus.

K. Martin-Kuri

Criar a sua vida como obra de arte — uma obra-prima — é um processo que dura a vida inteira. A vida não é como sopa instantânea — você derrama um pouco de água fervente e pronto! Criar a vida e a si mesmo como uma grande obra de arte exige compromisso e propósito constantes. Na nossa sociedade, é muito comum a tendência de procurar obter resultados imediatos: pôr um pouco de açúcar em cima, pintar por cima das falhas, ganhar amigos e manipular pessoas, construir uma casa em um dia com materiais inferiores — tudo para que se possa chegar ao dia seguinte e possivelmente terminar com algum dinheiro ou poder para mostrar. Essa tendência é tão flagrante hoje em dia que há comerciais que retratam pessoas vazias tentando manipular e obter controle sem nada de real que lhes sirva de base. Perdemos a essência da dignidade. Tornamo-nos irreais, incapazes de expressar o nosso verdadeiro eu porque nem sequer temos certeza do significado disso. Com freqüência, procuramos atalhos para alguma utopia que fantasiamos na nossa mente. Terminamos por bloquear a nós mesmos, impedindo-nos de ver o que está bem à nossa frente, exigindo toda a nossa atenção.

Stephen R. Covey, no seu livro de grande sucesso *The Seven Habits of Highly Effective People*, revela o seguinte:

> Comecei a sentir cada vez mais que boa parte da literatura dos últimos 50 anos sobre o sucesso era superficial. Ela estava repleta da consciência da imagem social, de técnicas e de soluções imediatas — de curativos e aspirinas sociais que atacavam problemas agudos e por vezes até pareciam resolvê-los temporariamente, mas que deixavam os problemas crônicos intactos para recrudescer e ressurgir repetidamente. Em notável contraste, quase toda a literatura dos primeiros 150 anos se concentrava no que se poderia denominar a Ética do Caráter como fundamento do sucesso — tópicos como integridade, humildade, fidelidade, temperança, coragem, justiça, paciência, diligência, simplicidade, modéstia e a Regra de Ouro.

Chegou o momento de começar a reconstituir o nosso caráter básico. Tenho de admitir que quando comecei a me divertir com os anjos, eu tendia a considerá-los atalhos para a dor e para os problemas — uma força na qual eu podia me apoiar para "tornar tudo melhor". Bem, eu estava parcialmente certa. Os anjos são uma força da qual podemos depender, mas eles *não* tornam tudo melhor. Em vez disso, eles ajudam a nos orientar a usar a nossa diligência e a resolver nossos problemas enquanto criamos com eles. Não há atalhos para fugir da dor. Não há soluções imediatas. No final temos de pagar as despesas, mas os anjos podem nos ajudar a ir além de simplesmente querer que a dor se vá. Eles podem nos ajudar a mudar nosso modo de ver os problemas e a dor, de maneira que a nossa própria química interior passe a uma condição muito mais serena. Muitas pessoas que estudaram angelologia ou que vivenciaram por muito tempo a consciência angélica dizem que os anjos estão interessados em nos ajudar a ser grandes pessoas com integridade e força, a fim de podermos ser faróis para os outros. Os anjos querem nos ajudar a criar nossa vida pessoal como uma obra-prima enquanto criamos qualidades celestiais com o Criador.

Uma obra-prima é algo de onde emana a verdadeira maestria. Você provavelmente ouviu histórias sobre pessoas que fizeram uma faculdade para ter uma determinada carreira e que, quando foram à luta, descobriram que alguns princípios básicos exigidos pelo seu trabalho não lhes tinham sido ensinados. Ora, a muitos de nós não foram ensinados alguns dos princípios básicos que a vida exige. Não nos ensinaram a desenvolver o caráter e a força. Uma das razões disso é o fato de haver poucos grandes modelos. Uma maneira de aprender grandeza e integridade é a partir dos exemplos daqueles que personificaram essas qualidades. Quem de fato está ensinando isso? Às vezes parece que muitos dos nossos líderes e mestres se preocupam mais com a promoção do seu nome do que com a mensagem da maestria e grandeza que nós como seres humanos estamos aqui para alcançar. Podemos ensinar a nós mesmos. As respostas estão gravadas na nossa alma, e os anjos podem nos ajudar a ter acesso aos blocos de que precisamos na nossa vida para a construção do caráter. Na verdade, eles nos passam muitas lições, e as respostas para as questões que enfrentamos oferecem indícios sobre o que o nosso caráter básico precisa para ser grande e forte. A grandeza tem pouco ou nada que ver com a fama. Algumas das maiores personalidades que conheci talvez nunca alcançem a fama, mas por certo deixarão uma marca positiva, cheia de luz, no planeta. Se você encontrar alguém obcecado com a obtenção de reconhecimento ou fama, recomendo que dê meia-volta; você não receberá a verdadeira sabedoria de uma fonte como essa.

Criar caráter é também um meio de tornar-se mais angélico. Não designo por angélico tornar-se ou continuar a ser "gentil". A "gentileza" é uma tela que usamos para controlar e para decidir se gostamos ou não dos outros. "Oh! Eles são tão gentis!" — dizemos. O que isso quer dizer? Em geral, quer dizer que eles fizeram justamente o que queríamos que fizessem. Os anjos nem sempre são "gentis", o que significa que nem sempre fazem exatamente o que queremos. Apesar disso, os anjos são sempre fiéis ao Criador. Os anjos não podem ignorar os princípios básicos que constroem a força de caráter. Mesmo que houvesse uma saída fácil, eles não a indicariam. Os anjos são sempre amorosos e querem que comecemos a encontrar o puro amor, que é uma energia básica, e não uma condição de "gentileza" e de ser querido pelos outros. Tornar-se angélico não significa agradar a todos; significa permanecer fiel a si mesmo, aos seus próprios valores, à sua integridade, ao seu Criador. Se você acha que não tem valores, integridade nem um Criador, isso pode parecer impossível para você, mas mesmo assim você pode começar a desenvolver a integridade e tornar-se consciente dos seus valores e do seu Criador. Os anjos estão aqui para ajudá-lo.

Um dos Melhores de Deus

1. Uma vez, numa exposição, vi uma placa muito criativa que dizia algo como "Um dos Melhores Massagistas de Deus". Eu o considerei um brilhante *slogan*, e ele era definitivamente um dos melhores massagistas de Deus! Pense em si mesmo como um dos melhores de Deus na sua vida. Os anjos gostam de jogar esse jogo com você e podem guiá-lo ativamente para que você seja um dos melhores de Deus. Assim, complete a seguinte frase: Eu sou um dos melhores ——— de Deus.

2. Pense que a sua vida e o seu serviço criativo são parte do Criador. Pense em maneiras de ser mais uma peça do Criador e integre essas práticas à sua vida cotidiana.

Crie amor-próprio

O que está atrás de nós e o que está à nossa frente é insignificante, comparado com o que está dentro de nós.
Henry David Thoreau

É bem verdadeira essa afirmação de Thoreau. O que está dentro de nós? Pergunte a si mesmo o que está dentro de você. Faça uma lista se quiser. Sei que dentro de todos nós está a luz de Deus. Suponha que eu aparecesse e lhe desse um recipiente de vidro transparente e lhe dissesse que ele estava cheio com uma parte real de Deus. Dentro desse recipiente você veria a mais bela e peculiar cor de luz trazida diretamente do reino dos céus. Quando essa luz especial foi colocada no recipiente, os anjos a abençoaram e a trouxeram cuidadosamente para a Terra. Agora, você tem o recipiente aos seus cuidados. O que você fará? Esse recipiente não tem preço — é tão valioso que você nunca o deixará sair de sua vista ou de sua consciência. Você irá adorar esse recipiente de Deus e provavelmente só permitirá que certas pessoas se aproximem dele. Irá protegê-lo de danos e assegurar-se de que não quebre. Ele será o item mais importante para você porque representa uma parte real da luz de Deus que é sua.

Bem, isso é exatamente o que você é: um recipiente com a verdadeira luz de Deus. Como costumamos tratar a nossa parte de Deus? Às vezes esquecemos que somos feitos de Deus e temos menos cuidado conosco do que teríamos com os nossos objetos de valor. *Você* é precioso e o seu valor é inestimável. Deus precisa que a sua luz brilhe com o amor por você mesmo — por Deus.

Compreender plenamente quem somos e o que fazemos aqui implica ser capaz de amar a si mesmo e estar disposto a fazê-lo. Isso não significa amar a si mesmo tão logo façamos umas poucas coisas para nos tornar dignos de amor; significa amar a si mesmo agora. Podemos ignorar ou negar esse amor, mas a verdade é que podemos amar a nós mesmos neste exato momento. Pode parecer muito simples, mas todos sabemos como pode ser difícil. Os anjos estão muito ativos na vida dos seres humanos neste exato momento. Muitas pessoas estão em busca da dimensão espiritual e, quer se dêem conta ou não, estão atraindo anjos. A principal lição que os anjos têm a nos dar é que somos amor, somos Deus na terra e é hora de amar a nós mesmos e de abrir o nosso coração.

Ouvi muitas pessoas falarem sobre a experiência de se sentirem diferentes dos seus pares, de sua família e da sociedade desde muito jovens. Em geral essas pessoas têm uma história sobre como, num certo momento, decidiram explorar a sua individualidade, com resultados aparentemente desastrosos. Lembro-me de uma história em especial. Olívia estava no primeiro ano, e esperava-se que os primeiranistas fossem anjos de uma peça de Natal. O professor deu instruções para que todos os anjos se vestissem de branco. Olívia não prestou muita atenção a essas instruções; é provável que a sua mente estivesse num lugar mais criativo. Assim, ela disse à mãe que lhe fizesse uma roupa de anjo azul. Bem, tenho a certeza de que você pode acabar a história; basta dizer que a roupa azul não foi muito bem aceita pelo professor e Olívia acabou sentindo-se humilhada. Também sei que você poderia concluir a história de maneira muito mais positiva: Olívia seria aceita e até recompensada pela sua criatividade.

Os que se assemelham a Olívia precisam se recompensar pelo seu individualismo e criatividade, e começar a ampliá-los. A maioria das pessoas altamente artísticas (por vezes chamadas de "sensíveis") tem dificuldade para se ajustar à vida como seres humanos. Às vezes parece que a vida é uma série de bombardeios dos quais precisamos nos esconder. Barulhos, pessoas negativas, poluição, crenças rígidas e uma série de outras ocorrências "que ferem a nossa sensibilidade" fazem com que seja difícil para as pessoas ultra-sensíveis permanecerem despertas e conscientes. Uma das principais razões pelas quais os anjos estão mais próximos da Terra agora é dar assistência a pessoas sensíveis a fim de que elas amem a si mesmas e compreendam a sua sensibilidade. Nós, como pessoas sensíveis (e sei que quem está lendo este livro é, em alguma medida, sensível), temos de nos manter fortes, concentradas e em paz — temos de curar a nós mesmas com o amor-próprio e aprender a equilibrar a nossa natureza sensível — se quisermos ajudar na cura de outras pessoas.

Imagine só: se todos os seres humanos que estão na Terra hoje se amassem e cuidassem de si verdadeiramente, você não reconheceria o planeta! No centro de cada ato grosseiro, egoísta, ambicioso ou negativo, de modo geral cometido pelas pessoas, está a falta do amor-próprio e do respeito por si mesmo. Os atos negativos são praticados para preencher um vazio interior, um vazio criado há muito tempo, quando quem age assim aprendeu que era preciso fazer algo sensacional antes de poder receber amor ou respeitar a si mesmo. Em vez de receberem amor incondicional, foram levadas a crer que tudo no mundo é condicional — baseado principalmente no modo como aceitam condições, o que se opõe às grandes maravilhas que elas têm dentro de si.

Por que será que não nos amamos e cuidamos bem de nós mesmos naturalmente? Será porque vamos morrer? Ou porque às vezes somos tratados mal? Ou talvez porque sentimos que ninguém nos ama nem respeita verdadeiramente e, por isso, nos sentimos indignos de amor? Talvez nos tenham dito para não nos autopromovermos — para sermos humildes. Talvez não nos sintamos bem fisicamente e estejamos doentes a maior parte do tempo e, por isso, achamos difícil amar a nós mesmos por causa da nossa condição física. Pode ser que digamos a nós mesmos que não somos "bem-sucedidos". Ou tenhamos vergonha de nós mesmos. Pode ser que fiquemos apontando para o nosso "currículo ruim" — as ocasiões em que ferimos os outros e pelas quais nos culpamos agora. De uma perspectiva compassiva, essas razões para não amarmos a nós mesmos não têm sentido, mas o fato é que elas têm levado muitos de nós a pensar ou a acreditar que não são dignos de amar a si mesmos.

Algumas pessoas atribuem a culpa de sua falta de amor-próprio a uma circunstância concreta da vida — um pai ou mãe com quem não se entendiam ou uma família e um sistema educacional negativos. Mas culpar os outros ou as circunstâncias não nos leva, em última análise, à cura ou ao amor-próprio no presente. Não há problema em voltar ao passado, com um coração amoroso, tendo a intenção de compreender onde começou a carência. Às vezes não conseguimos fazer isso com os nossos próprios recursos, mas existem muitos bons conselheiros e terapeutas para nos guiar em jornadas ao passado, em busca de maior autocompreensão. Mas culpar os outros figura em primeiro lugar, ao lado de culpar a si mesmo, como um bloqueio ao crescimento. Assim, se você resolver voltar ao seu passado, lembre-se de que a percepção que tem dele se deve em especial ao seu modo de pensar atual. Se estiver feliz e com paz interior, você poderá descobrir que a sua visão da infância e do passado é alegre e pacífica — você se lembra principalmente do que foi "bom". Se estiver perturbado, verá o passado pela lente da infelicidade e da confusão. Assim, mantenha-se consciente!

Na verdade, você tem muita sorte se tiver passado por dificuldades para amar a si mesmo devido ao que lhe aconteceu. Vou dizer-lhe por quê. Como acontece com qualquer lição difícil, quando conseguimos terminá-la, ficamos mais fortes e aprendemos melhor. O conhecimento traz consciência, e consciência significa escolha. Muitos de nós criam toda uma armadura para se proteger da dor. Essa armadura consiste em negação, mentiras e conceitos acerca de quem pensamos ser no mundo. Mas, uma vez que decida amar a si mesmo, você nunca mais será o mesmo. O amor-próprio faz aflorar o reflexo da sua natureza angélica, vincula você com o reino do céu e aproxima mais os anjos do seu coração. Dando plena atenção ao amar a si mesmo, você renasce como o seu verdadeiro eu. Os anjos se integrarão de maneira tão íntima à sua vida que tudo o que você fizer terá o caráter de experiência angélica.

Um caminho espiritual é, na verdade, um caminho de autoconhecimento. O potencial para sofrer com lições baseia-se principalmente no nosso grau de disposição para olhar para nós mesmos de modo honesto. Se negarmos ou ignorarmos mensagens que nos incitam a olhar com honestidade para nós mesmos e para a nossa vida, as questões não resolvidas irão se ampliando e ficando cada vez mais difíceis de tratar. Podemos usar a analogia de um tumor: quanto mais o ignoramos, e às suas causas básicas, tanto maior ele ficará e tanto mais problemas nos causará.

Assim, neste exato momento, estirpemos o tumor para que ele deixe de existir. Já não temos razões para deixar de amar a nós mesmos. Comece a praticar o amor-próprio agora, independentemente do que esteja acontecendo na sua vida e de todos os pensamentos negativos que possam surgir. Esqueça-os! Deixe-os para trás. Eles desaparecerão naturalmente à medida que você começar a permitir que o amor-próprio se amplie na sua vida. Acredite: a chave para a solução de problemas ou questões que você não quer ter é aumentar o amor-próprio e instituí-lo como prática constante. Se você esperar para amar a si mesmo até que todos os seus problemas se resolvam, sua espera será longa demais. O único meio de resolver ou de dissipar os problemas é ter amor-próprio.

O que é exatamente o amor-próprio? O que é o eu? A primeira pergunta deveria ser, na verdade: o que é o amor? O amor é Deus — o mais elevado poder do universo. Você é feito de Deus — de amor. A luz de Deus está dentro de você. O amor é grande parte do que você é, mesmo que você não o pratique de modo consciente. Lembre-se de que você é um precioso tesouro de amor, e de que os anjos estão aqui para ajudá-lo a proteger a si mesmo — ao seu amor. Tenha muito cuidado com o seu eu especial; você o merece.

O poder do amor-próprio

1. Ame a si mesmo neste exato momento; não amanhã nem quando você achar que está pronto. Ame a si mesmo agora! O amor-próprio é totalmente possível e está ao seu alcance. Ao fazer tudo o que faz — respirar, comer, beber, caminhar, correr, limpar a casa e divertir-se —, faça-o com a força do amor-próprio. Incorpore o amor-próprio a todos os domínios da sua vida.

2. Peça ao seu anjo da guarda para lembrá-lo de sua decisão de amar a si mesmo sempre que você começar a seguir a direção oposta. O seu anjo o alertará delicadamente, enviando-lhe mensagens, para que você se lembre de amar a si mesmo. Assim, fique ligado!

3. Dê um passeio no parque com o seu anjo da guarda e só pense em como amar a si mesmo. Faça uma meditação-caminhada sobre o amor-próprio. Fale consigo mesmo de como você é amado. Imagine o seu anjo da guarda andando bem ao seu lado, ouvindo e concordando com tudo o que você diz.

4. Seja delicado consigo mesmo.

5. Crie a sua própria série de afirmações sobre o amor-próprio. Escolha uma afirmação por semana e cole-a em lugares em que você a veja todos os dias. Leve-a com você durante o dia e diga-a a si mesmo à noite, logo antes de dormir. Ouça o seu anjo da guarda repeti-la para você.

Crie um relacionamento significativo com o seu anjo da guarda

É fácil perceber a diferença entre uma pessoa e um anjo: a maior parte do anjo está no interior e a maior parte de uma pessoa está no exterior.

Anna, em *Mister God, This Is Anna*

Para criar um grande relacionamento com o seu anjo da guarda — e, na verdade, com qualquer outro anjo —, você precisa criar uma fértil e rica vida interior. Criar uma vida interior é fácil para alguns e mais difícil para outros. Alguns de nós podem passar tempo demais tratando de questões da vida interior, ao passo que outros correm de um lado para o outro e nunca param para ouvir a voz interior. Todos temos uma vida interior; é tudo uma questão de dar-lhe atenção e força. Comunicar-se com os seus companheiros angélicos é mais fácil quando você reserva tempo para alimentar o seu espírito interior. Todos têm anjos ao redor de si, e contam com o anjo da guarda desde que vieram à existência. Aproveitar plenamente os benefícios do nosso relacionamento com o anjo da guarda tem significados diferentes para cada pessoa. Assim, descubra as suas próprias maneiras criativas de se comunicar, e os anjos haverão de ser seus amigos íntimos e chefes de torcida.

Relacionando-se com os seus anjos

1. Complete as frases a seguir, em seu diário, e comece a definir a sua relação com os anjos à sua maneira pessoal.

- Para mim, os anjos são...
- Sei que tenho um anjo da guarda porque...
- O propósito do meu anjo da guarda na minha vida é...
- Meu anjo da guarda tem uma (faça um círculo numa das palavras e discuta se for necessário) natureza andrógina/feminina/masculina, essência, vibração.
- Quando tenho um forte vínculo com o meu anjo da guarda, vêm-me à mente as seguintes cores (relacione ou desenhe as cores):
- Meu aroma favorito, que lembra o meu anjo da guarda, é...
- Para aprimorar o meu relacionamento com o anjo da guarda, posso fazer o seguinte (por exemplo, levar flores para casa, ser delicado, rir):
- O nome do meu anjo da guarda é (você não precisa realmente saber o nome, mas algumas pessoas gostam de fato de ter um nome pelo qual chamar o seu anjo da guarda)...
- Meu anjo da guarda me ajuda a me exprimir por meio de...
- Eu também sinto outros anjos ao meu redor, ajudando a mim e ao meu anjo da guarda. A minha experiência com os outros anjos é...
- A dádiva mais importante que os anjos já me deram até agora foi...
- Minha(s) mais profunda(s) intuição(ões), inspirada(s) pelos anjos, até agora foi/foram...
- Experiências e eventos com anjos, que promoveram modificações na minha vida até agora incluem...
- Ser "espiritualmente criativo" significa...

2. Dê-se o direito de praticar e de explorar. Uma prática espiritual pode ser qualquer coisa, desde caminhar na floresta e pintar um belo quadro até fazer jejum e freqüentar regularmente reuniões espirituais. Lembre-se de que essas práticas são pessoais; você é diferente de qualquer outra criatura no modo pelo qual exprime amor pelo Criador. As práticas espirituais podem ajudá-lo a relacionar-se vigorosamente com o seu anjo da guarda. Pense em algumas maneiras criativamente espirituais pelas quais você pode pôr em prática o relacionamento com o seu anjo da guarda.

3. Uma musa é um anjo que inspira o nosso ímpeto criativo e nos encoraja a exprimir-nos e purificar a nossa expressão. Comece a examinar o universo do pensamento criativo com a sua musa. Você pode

descobrir que a sua musa tem uma certa "voz". Se isso acontecer, preste atenção, mesmo quando os pensamentos não fizerem sentido. Contudo, não deixe que a sua musa o confunda. Sabe-se que algumas musas de vez em quando são embusteiras.

4. Uma maneira de os anjos se comunicarem conosco é através das ocorrências sincronísticas. Uma ocorrência sincronística é uma coincidência que o leva a reconhecer a existência de uma ordem superior por meio de um signo ou símbolo contido na coincidência. Faça uma relação de ocorrências sincronísticas pelas quais você tenha passado e de quaisquer mensagens que, na sua opinião, lhe foram transmitidas por meio delas.

5. É importante manter registros de momentos angélicos especiais que sejam só seus. Esses momentos não têm de ser explicados nem confirmados por ninguém. Eles só precisam fazer sentido para você. Quando os tiver registrado em seu diário, você pode voltar a eles e lembrar-se de que não está sozinho, e de que a graça é abundante.

6. Tenha conversas imaginárias com o seu anjo da guarda. Vá caminhar e finja que está falando com um amigo invisível na sua mente. Faça perguntas e você obterá respostas.

Crie brincadeira

O entusiasmo se baseia na brincadeira, e não no trabalho. Longe de ser um desanimado soldado, o nosso artista é na verdade a nossa criança interior, o nosso companheiro interior nas brincadeiras. Tal como ocorre com todos os companheiros de brincadeiras, é a alegria, e não o dever, que propicia um vínculo duradouro.

Julia Cameron, *The Artist's Way*

Se alguém me perguntasse o que considero ser o aspecto mais importante da criatividade, eu teria de dizer que é a essência da "brincadeira". A brincadeira é o mais importante componente da minha criatividade. Ela é também a chave para o verdadeiro aprendizado. Se todos tivessem tido permissão para aprender com um sentido de brincadeira, todos experimentariam tamanha liberdade criativa que não reconheceriam o mundo. Pense nisso. Na verdade, quando estávamos na escola fomos direcionados para o que aprender e em que acreditar. Digamos que todos os dias o professor aparecesse com materiais de arte, livros e adereços criativos que de algum modo representassem algo que estivéssemos estudando e dissesse: "Muito bem, classe, vamos passar o dia brincando com estes objetos para aprendermos sobre isto e aquilo." O que você acha que aconteceria? A minha fantasia é a de que todos os alunos se tornariam professores por meio de sua própria criatividade, e a classe ensinaria a si mesma sob a direção do professor principal. Também acredito que ensinar por meio da brincadeira daria às pessoas a liberdade e a coragem de buscar suas próprias respostas. Esse tipo de ensino está sendo praticado hoje em algumas escolas inovadoras. O ponto principal é que aprendamos por meio da brincadeira. Eis por que algumas crianças desenvolvem uma compreensão básica do computador com tanta rapidez: elas vêem as máquinas como brinquedos e sentem-se livres para brincar com elas.

Você já foi uma criança e tinha uma tendência natural de brincar o tempo todo. Essa criança que você foi ainda hoje é parte de você. E essa criança está tentando transmitir ao adulto que há em você que você deve brincar outra vez em tudo aquilo que fizer. Quando as crianças começam a ter problemas, uma técnica usada pelos terapeutas para descobrir o problema-chave chama-se ludoterapia. Virginia M. Axline, pioneira nesse campo, escreveu dois excelentes livros sobre o assunto, *Dibs: In Search of Self* e *Play Therapy.* O primeiro é um dos livros que vou sempre ter comigo; é a história de um milagre, o estudo de um caso na área da ludoterapia. No segundo, é citado um garoto de sete anos que disse, durante uma sessão: "Oh, toda criança deveria ter ao menos uma vez na vida a oportunidade de fazer o que quisesse sem ouvir 'Não se atreva! Não se atreva! Não se atreva!' " Vá em frente, faça o que quiser, crie a sua própria ludoterapia, esqueça as críticas e penetre no mundo seguro que você pode criar por meio da brincadeira.

Sempre que começo a usar a palavra *trabalho* ao escrever, ponho um traço de união perto dela e lhe acrescento a palavra *brincadeira.* O trabalho é na verdade a brincadeira dos adultos, mas nos esquecemos disso e o tratamos como algo tenso e sério. Creio que todos os seres humanos foram criados para ser criativos. Nos expressarmos, à nossa maneira especial, significa dar vazão à nossa criatividade inata brincando com o jogo da vida.

Brincando em benefício da saúde

1. Brincar é uma boa maneira de parar de levar tudo tão a sério, de parar de se preocupar, e de descobrir um modo criativo de agir com relação àquilo de que não gostamos. Se algo o está incomodando, pense em como você poderia brincar com esse incômodo. Você pode fingir que isso é uma pipa e ir para fora empiná-la. Você pode transformá-lo numa bola e arremessá-la para o alto até que ela desapareça do universo. Faça um objeto de argila que represente a sua contrariedade e a transforme em algo diferente bem diante dos próprios olhos.

2. Lembre-se de que no fundo você é uma criança. Para ser feliz, você tem de brincar, brincar e depois brincar mais um pouco. A brincadeira é o modo pelo qual os anjos se comunicam conosco. Se você estiver se sentindo sozinho e quiser um companheiro para as suas brincadeiras, você sempre terá um à espera do seu chamado — o seu anjo da guarda.

Crie harmonia

Somente aqueles que partilham da harmonia que há no íntimo de suas almas conhecem a harmonia que percorre a natureza.
Paramahansa Yogananda

Se você sabe, mesmo que seja um pouquinho, sobre música e sua estrutura, e sobre a razão por que gostamos dela, então você conhece a harmonia. Quando as notas musicais não se harmonizam, produz-se um som tenso, grosseiro ou dissonante. Um som como esse pode ser interessante e estimulante, por isso não estou dizendo aqui que a harmonia seja boa e a dissonância, necessariamente ruim; a criatividade pode incluir uma e outra.

Recentemente, quando eu e minha amiga Shannon conversávamos, percebemos que cada pessoa tem uma nota interior que a nossa alma canta. Quando estamos sintonizados com o divino, a nossa nota ressoa com a harmonia do céu e dos coros angélicos. Podemos usar essa idéia nos nossos relacionamentos pessoais. Há algumas pessoas com quem nos sentimos em perfeita harmonia, ao passo que outras parecem ser parte de uma escala diferente.

Viver de modo harmonioso significa formar um todo agradável ou coerente, livre de desacordos ou de maus sentimentos. Para criar um todo harmonioso com a vida e com as pessoas que encontramos, precisamos descobrir o ponto de harmonia entre nós e elas. É claro que podemos aprender muito com aqueles que não se harmonizam com a nossa nota interior, mas quanto maior a nossa consciência do que está acontecendo, melhor poderemos criar harmonia em nossa vida, o que pode significar manter uma saudável distância de certas pessoas. Perceberemos melhor a harmonia se nos permitirmos abrir mais o coração. Se descobrirmos que não há harmonia e que tudo o que vemos é drama ou disfunção, ainda assim poderemos manter essa discordância fora do nosso *santo dos santos*.

Quando praticamos uma vida espiritual e incluímos oração, contemplação, meditação, estudo espiritual, autoconsciência, compaixão e serviço como partes constantes da nossa vida, passamos a ressoar com uma escala espiritual de notas musicais. Quando encontramos pessoas que não praticam vidas espirituais, mesmo que digam que praticam, as nossas notas não ressoarão de modo harmonioso. Se tentarmos trabalhar em parceria com alguém que só se interessa pelo dinheiro e pela fama, e se o nosso interesse for o amor, o serviço e a criatividade, não encontraremos harmonia.

Você já percebeu que na natureza as cores não se chocam? Podemos misturar roxos, laranjas, amarelos e vermelhos com verdes e, desde que seja parte da natureza, a combinação nunca será destoante. Bem, se formos naturais e espirituais, pouco importa quantas notas diferentes reunimos; desde que estejamos sintonizados com o divino, estaremos em harmonia. Tudo isso é outra idéia com a qual brincar para fins de compreensão. Se fizer sentido para você, veja se pode brincar com ela em sua própria vida.

Entre em sintonia

1. Mantenha a sua nota interior vigorosa conservando-a sintonizada. Você pode fazê-lo permanecendo fiel a si mesmo e não tentando adequar-se a outra nota que não esteja em harmonia com a sua. Peça aos anjos para lembrar-lhe quando você precisar restaurar a sintonia da sua nota interior.

2. Ouça o tom que toca entre duas almas. Pense nos seus relacionamentos na vida e entre num estado de meditação com os anjos. Entre em contato com a sua própria nota interior. Não há problema se você não ouvir nada — simplesmente use a sua imaginação. Agora ouça as notas das pessoas em sua vida. Elas estão em harmonia? Depois de meditar sobre a harmonia, escreva sobre os seus pensamentos. Se descobrir que você não se harmoniza com alguém, pense no porquê. A resposta é provavelmente uma questão de choque de valores.

3. Se você puser o seu coração em tudo isso, a sua criatividade e a sua vida irão ressoar com outros corações e atrair uma verdadeira estima.

4. Analise a ressonância harmoniosa em sua vida e em sua expressão criativa. Você pode descobrir que através de uma vida harmoniosa você entrará em contato com a chave que abre a porta para o seu criativo chacra do coração. Os anjos sabem exatamente onde essa chave está o tempo todo.

5. Crie a sua própria "convergência harmoniosa" na sua vida com os anjos.

Crie felicidade

A verdadeira felicidade é a capacidade, desenvolvida ao longo do tempo e com a prática, de irradiar energia positiva independentemente das circunstâncias exteriores ou interiores.

Dan Millman, *No Ordinary Moments**

Imagine só (a notícia acabou de sair): você pode estar feliz mesmo que nada em sua vida seja perfeito! Pode até ser feliz sentindo-se doente e com dores. E, inclusive, ter outras emoções, como raiva ou tristeza, sem deixar de ser feliz. Tudo o que você tem a fazer é saber e acreditar que não precisa de nenhuma razão particular para ser feliz. A felicidade é maior do que o seu corpo, vai além da sua mente e é uma corrente de energia da força vital que está conosco do tempo inteiro. Atingir a felicidade é a força motriz por trás de muito do que os seres humanos fazem, mas a verdade é que não alcançamos a felicidade controlando-a

* *A Importância de Cada Momento. No Caminho do Guerreiro Pacífico.* Publicado pela Ed. Pensamento, São Paulo, 1994.

ou tentando controlá-la, mas apenas permitindo que a sua energia flua conosco e seja parte de nós.

Penetrando no fluxo da felicidade

1. Para mim, felicidade é o mesmo que graça. Nada podemos fazer para atingir a graça a não ser estar disponíveis para vivenciar e receber. Comece a explorar a felicidade sem motivo à sua própria maneira. Procure penetrar nela quando começar a sentir que ela vem sobre você. Você julgará cada vez mais fácil identificá-la e dentro de pouco tempo ela estará sempre com você — logo abaixo da superfície de tudo aquilo que você faz e por que passa.

2. A felicidade é um estado de ser que sempre está com você, exatamente como os anjos. Estes mantêm uma parte de você no fluxo da felicidade o tempo inteiro. Quando se sentir deprimido, lembre-se de que você pode, a qualquer momento, religar-se ao fluxo da felicidade. Você pode até permitir-se rir durante um momento triste.

3. Seja feliz, não se preocupe e "assobie enquanto trabalha" (brinque).

Crie diversão

A risada é o anúncio audível de que estamos tendo Diversão. Em sua forma mais plena, a risada é tanto saudável como sagrada. Se você não tiver senso de humor, ela simplesmente deixará de ser divertida.

Wavy Gravy, *Something Good for a Change*

Recentemente, percebi que não me divertia há muito tempo. Então, percebi que muito do que eu costumava fazer julgando divertido já não representava um atrativo para mim, ou tinha deixado de ser adequado ao meu estilo de vida. Comecei a pensar sobre a diversão e sobre o seu verdadeiro significado. Será que ela significa fazer algo específico, ou é uma qualidade que pode ser introduzida na maioria das atividades?

Quando penso em diversão e brincadeira, não posso deixar de pensar nas crianças. Uma característica que percebi em crianças felizes e bem adaptadas é o fato de que todas têm um senso de humor bastante peculiar e que exprimir o seu senso de humor é importante para elas. Trata-se de um componente importante da maneira como elas interagem com os adultos e umas com as outras. Por que você acha que as crianças riem tanto quando se divertem juntas? Rir também é muito importante para os adultos. O humor é uma das principais maneiras pelas quais os anjos se comunicam conosco.

Divirta-se

1. Use "pensamentos-relâmpago" para fazer o que peço a seguir. Pensamentos-relâmpago são pensamentos que lhe ocorrem rapidamente quando você começa a pensar sobre um assunto. Registre os pensamentos e idéias que surgirem em sua mente enquanto você pensa sobre o seguinte.

- Escreva os primeiros pensamentos que lhe ocorrerem sobre a diversão.
- Relacione algumas atividades divertidas.
- A brincadeira é diferente da diversão? Se é, como e por quê?
- O que *divertimento* significa para você?
- Você tem se divertido ultimamente?
- Os anjos se divertem?

2. Pense sobre o humor e a risada e sobre o papel deles em sua vida ultimamente. Escreva alguns pensamentos.

3. Mantenha uma acompanhamento mental da freqüência com que você ri durante o dia.

4. Em seu diário, faça associações livres sobre a brincadeira. Por exemplo, algumas das minhas associações foram: despreocupação, pular, a vaca saltou a lua, pipocar, surpresa e muita energia.

5. Ria com a maior freqüência possível. Sinta a risada vir do fundo da sua alma.

Crie espontaneidade

Assim, a palavra espontaneidade *não é usada aqui em seu sentido pejorativo moderno, que significa fora de controle, mas em seu sentido original, que significa ter uma vida natural, uma vida em que a* criatura *tem integridade inata e limites saudáveis.*

Clarissa Pinkola Estés,
Women Who Run With the Wolves

Às vezes, em meio ao processo de escrever um livro, vejo-me agindo um pouco espontânea e desinibidamente. Descubro que fico mais imprevisível do que o comum, dizendo o que normalmente evitaria. Recentemente, estive discutindo isso com uma autora de cinco livros muito apreciados pelo público, e ela me disse que o mesmo lhe acontece quando escreve um livro. Quando libertamos o espírito criativo e nos permitimos inspirar profundamente a vida, descobrimos em nós mesmos uma espontaneidade inata, desejosa de se expressar, que vem à superfície. Essa mesma espontaneidade faz as crianças berrarem quando brincam. Embora escrever seja de modo geral uma atividade solitária, trata-se de algo que nos leva a sair de nós mesmos e a entrar em outro fluxo de energia. Dessa maneira, a espontaneidade é cultivada. É tamanho o seu desejo de estar em nossa companhia que ela aparece e monta acampamento enquanto nos ocupamos em escrever e em ser criativos. Isso não significa que tenhamos uma divisão de personalidade. Estamos simplesmente brincando com a nossa natureza espontânea, que precisa ser cultivada e apreciada à sua maneira peculiar.

Promova a espontaneidade

1. Torne-se espontâneo e natural. Pense em algo que você possa fazer em sua vida diária, capaz de lhe servir de afirmação pessoal de sua espontaneidade ímpar. Peça aos anjos que o ajudem; eles adoram estimular o comportamento natural.

2. Respire fundo e, ao exalar, diga a palavra *espontâneo*. Faça isso e imagine a energia da espontaneidade — uma energia não domesticada nem diluída — irrompendo cada vez que você respira. Entre em contato com esse sentimento espontâneo e anote quaisquer pensamentos sobre a espontaneidade que lhe ocorrerem enquanto você estiver respirando a energia. Outra alternativa é fazer um quadro representando-a, escrever uma canção ou simplesmente aproveitar a sensação sem fazer mais nada. Você pode começar a sentir-se como um determinado animal, ou sentir que um determinado tipo de energia animal está em contato com você. Isso pode ser divertido; vá em frente. As crianças naturalmente fingem que são animais, e os adultos também podem fazê-lo. Cada um de nós se identifica com um ou dois animais determinados. Pense nos animais com os quais você sente afinidade e analise o que eles representam em

sua vida. Use as descobertas que fizer, em seus empreendimentos criativos. Explore a conexão angélica.

3. Brinque com palavras e frases que tenham *natural* nelas: naturalidade, agir naturalmente, vida natural, naturalista, etc.

4. Leia o livro *Women Who Run With the Wolves*, de Clarissa Pinkola Estés.

Crie amor

O amor vibra rapidamente. O medo tem uma freqüência de vibração inferior. Quem canaliza energias do medo percebe que, com o passar do tempo, a vibração do medo fica pesada, depressiva. No final, traz sono, pessimismo, desânimo, desespero. A vibração do amor traz entusiasmo, energia, interesse, percepção. Eis o que irá curar o mundo: uma percepção clara e não distorcida fluindo por um você que não seja auto-reflexivo no sentido egóico, mas auto-reflexivo no sentido de conhecer o Deus interior.

Ken Carey, *Return of the Bird Tribes**

O amor é uma energia que flui através de nós, a partir do Criador, para o exterior. Não podemos deter amor nem tentar manipular ou controlar com ele. O amor é pura energia divina e, se estivermos dispostos a permitir que ele flua através de nós, ele irá se espalhar por toda parte, incluíndo aí a nossa essência divina. O problema vem quando bloqueamos um canal que permite ao amor fluir livre e alegremente. Talvez acreditemos haver uma boa razão para bloquearmos esse canal — um motivo para a nossa incapacidade de amar —, mas isso na verdade não existe. Não há boas razões para se bloquear o amor, e se nos permitirmos ser um canal para o amor divino, seremos capazes de amar tudo. O amor está sempre, na entrada do nosso coração, à espera de uma abertura pela qual fluir. Se resistirmos, poderemos ter a sensação de que uma grande pressão é exercida sobre nós. É difícil interromper o curso de um rio, assim como é difícil fazer parar a torrente do amor. Não enlameie as águas do amor caminhando pesadamente pela vida, preocupando-se e bloqueando o amor com inimigos imaginários.

---

* *O Retorno das Tribos-Pássaro*. Publicado pela Editora Cultrix, São Paulo, 1989.

Meditação das ondas de amor

1. Reserve um momento de calma e faça uma meditação voltada para a retirada dos bloqueios ao amor. Sente-se calmamente e comece a entrar em sintonia com a divina energia do amor. Imagine ondas de amor fluindo para a Terra vindas do Criador. Imagine um padrão circular que vem até a Terra, que sobe ao céu e retorna. Fique debaixo de uma onda e sinta-a começar a fluir através de uma abertura em sua alma. Sinta os anjos se aglomerarem ao seu redor, protegendo-o com todas as nuances do amor. A abertura está no seu coração? No topo da sua cabeça? Nas costas? Sinta onde está a abertura — essa é a sua tarefa. Simplesmente permita que haja uma abertura. O amor está fluindo para o exterior através das suas mãos? Do seu coração? Da sua cabeça? Dos seus olhos? Você sente a energia ser aprisionada em algum lugar? Se sentir, permita que cheguem a você informações que o levem à compreensão. Libere o bloqueio e permita que o amor, com a sua energia poderosa, o dissolva, transmutando as suas causas de base. Pense naqueles a quem você ama e suavize eventuais bloqueios que sentir com relação a eles. O amor pode percorrer qualquer distância. Ele pode inclusive tocar aqueles que passaram para outras esferas. Permita que o amor atinja a sua alma e crie sorrisos, lágrimas, formigamentos, júbilo e bênçãos. Prossiga pelo tempo que quiser e mantenha-se assim até sentir que os seus canais destinados ao amor estão abertos. Lembre-se de que não existe amor condicional. As condições (bloqueios) nada têm que ver com o amor. O amor é a mais elevada e a mais disponível energia do universo.

2. Vá em frente e ame um pouco mais!

Crie oração

Passe bastante tempo em oração. Há vários tipos de oração, mas, seja qual for, ela é o vínculo da alma, da mente e do coração com Deus.

Dois Ouvintes, *God Calling*, organizado por A. J. Russell

A oração é uma maneira criativa de você se expressar perante Deus, o Criador. O reino de Deus está dentro de nós. Para rezar de modo criativo, simplesmente falamos com o Deus interior, comunicando-nos de maneira pessoal e íntima com o nosso Criador.

A oração às vezes se torna a nossa única opção em determinadas situações difíceis. Em muitas ocasiões vejo-me numa circunstância em que a única ação viável é rezar. Quando o faço, as circunstâncias sempre acabam tomando um rumo positivo. Por exemplo, se houver uma situação envolvendo outra pessoa, que esteja levando-me a ter sentimentos negativos com relação a essa pessoa sem que eu compreenda exatamente por que, sei que a melhor opção é rezar por essa pessoa e para que o bem maior se estabeleça. Quando precisar da intervenção divina, reze. Quando precisar ter fé cega e necessitar de orientação em meio às trevas, reze. Rezar funciona. A oração é um poderoso instrumento espiritual, e é fácil de praticar.

Tendo os anjos na nossa vida, dispomos de muitas opções criativas em termos de oração. Os anjos não querem que rezemos para eles, mas gostam de nos ajudar a dirigir as nossas orações a Deus. Uma maneira divertida de rezar é escrever cartas aos anjos solicitando uma orientação superior a respeito de um assunto específico. Há várias maneiras de fazer isso. Você pode escrever uma carta ao anjo da guarda de outra pessoa pedindo intervenção divina, assim como pode escrever ao seu próprio anjo da guarda pedindo-lhe que fale com o anjo da guarda de outra pessoa para que vocês possam alcançar o entendimento num nível mais profundo. Quando os anjos estão envolvidos, o livre-arbítrio é sempre respeitado, não havendo, em conseqüência, manipulação.

Norman Vincent Peale fala de um homem que passou por uma completa mudança de vida com a oração. Referindo-se a ele, Peale escreve: "Ele descobriu que a oração não é nenhum exercício visionário, piedoso ou místico para santos e ultradevotos. Percebeu que ela pode ser um método prático de reestimular a mente que perdeu a capacidade criativa. E, muito mais do que isso, ele se deu conta de que essa oração é uma força de renovação de energia." Transforme a oração numa força criativa, renovadora de energia, em sua vida. A oração traz resultados e orientação divina. Praticando a oração, você faz dela uma agradável e bem-vinda parte da sua vida cotidiana.

Idéias práticas para a oração

1. Peça ao seu anjo que se junte a você como parceiro de oração quando você estiver rezando pela resolução de um problema. Reze e depois passe algum tempo com o seu anjo da guarda simplesmente pen-

sando em Deus. Você sentirá uma mudança em termos de energia, e a sua resposta logo virá. Procure por ela de maneiras criativas.

2. Escreva num cartão um pedido de algo que você gostaria de obter por meio da oração e mantenha o cartão com você. Pegue-o quando tiver vontade, pelo menos três vezes ao dia, e reze com o seu anjo para obter uma orientação criativa e alcançar o bem maior. Quando sentir que recebeu uma resposta, anote-a no cartão, ao lado de quaisquer pensamentos relacionados e mantenha-o num "arquivo de gratidão". Criar uma caixa de oração para arquivar os cartões, decorada com coisas belas relacionadas com os anjos, pode ser um projeto divertido.

3. Quando rezar, permita que a sua mente, a sua alma e o seu coração se liguem a Deus. Se você sentir vontade, exploda em risadas. A risada vem diretamente da sua alma. Se você sentir vontade de chorar, as lágrimas purificarão a sua mente e a sua alma. Permita que o amor eleve o seu coração com alegria quando rezar. Tenha uma experiência angélica com a sua oração e depois deixe que ela se dissipe.

Crie fé

A perspectiva dos anjos advém da vastidão do infinito e de um lugar além do tempo; dali, os anjos irradiam amor para tudo sem julgamento.

Dorothy Maclean, *To Honor the Earth*

Muitos budistas acreditam que a maioria dos seres humanos que se encontram na Terra neste momento está aqui para resolver questões de ambição, de dúvida, de ódio, de indolência e de agitação. Você pode aceitar ou não esse conceito budista, mas, seja como for, trata-se de um bom alimento para a nossa reflexão. Pense nas qualidades que contrabalançam essas questões. O que pode nos ajudar a resolver problemas com a ambição? Creio que viver o momento sem desejos e compreender e saber verdadeiramente "que só Deus é suficiente" são uma boa solução. Os antídotos para o ódio incluem o amor-próprio, a felicidade da alma, a compreensão e o perdão. A indolência pode ser vencida pela descoberta de uma vocação que lhe agrade e por meio da ação, do serviço e da brincadeira. A agitação tem que ver com o nosso efeito sobre os outros. Se agitamos, provocamos ansiedade e preocupação e fazemos surgir a energia negativa. Se somos felizes sem motivo, estamos mentalmente em paz e, nesse estado, não podemos agitar ninguém. Alguns possíveis antídotos para a dúvida são a confiança, o otimismo, a esperança e a fé. Expressar a nossa *criatividade* contribui para resolver as cinco questões.

Ter fé nos anjos pode ser a sua diretriz. Os anjos trazem visão à fé. Em vez da fé cega, você recebe o claro conhecimento de que o bem maior sempre está à sua disposição. Com fé, você *sabe* em vez de acreditar. A fé nos dá a vontade de descobrir o caminho. E, o que é ainda mais importante, quando tem fé, você sabe no seu coração que nunca está sozinho e que é constantemente amparado pelo amor divino — os anjos estão com você.

Mantendo a fé com os anjos

1. Se você ficar desanimado com o mundo e questionar por que deveria se incomodar com ele, confie na sua criatividade. Descobri que isso me salva toda vez que o peso da existência e o pessimismo começam a me deprimir. Penso na minha criatividade — nos jardins, nos textos e na arte que gosto de criar — e então o meu mundo fica mais leve e brilhante, e os anjos sorriem. Confie na sua criatividade. Quando tudo o mais fracassar, você estará bem se souber, no coração, que é criativo.

2. Finja que o seu anjo tem como melhor amigo alguém chamado Fé. Sempre que precisar de fé numa situação, imagine que o seu anjo da guarda convida Fé a vir brincar com você.

Crie gratidão

Você pode purificar a sua aura, bem como elevar a sua vibração agradecendo. A ressonância da gratidão no seu corpo vibra com o seu centro do coração. Ela permite que você se torne receptivo a fim de receber mais.

Sanaya Roman

Ser grato cria uma "grande atitude". Criar gratidão pode ser uma meditação permanente que você pode fazer o dia inteiro. Tento me lembrar de dar graças por tudo o que vejo. Quando escrevo no meu computador e faço que o programa realize uma função especial, eu lhe agradeço quando termino. Agradeço ao meu carro por me levar a lugares.

Agradeço aos músicos pela música que ouço. Agradeço mentalmente às flores por me lembrarem dos anjos. Agradeço aos meus gatos por serem tão engraçados. Agradeço pela água que uso no banho e para beber. Agradeço ao Sol pelo seu calor. Percebi que, quando me envolvo nesse processo de agradecer, sinto-me mais feliz e leve ao longo do dia. Posso fazer uma pausa e mostrar-me grata pelo surpreendente processo da vida, o que me ajuda a apreciar os anjos e a ter consciência da sua presença.

Brincando com a gratidão

1. Faça a sua própria meditação de ação de graças. Ninguém precisa ouvi-lo. Você pode dar graças na privacidade da sua mente. Fazê-lo ajuda-o a "acentuar o positivo e a eliminar o negativo". A gratidão dá a você um maior acesso à energia criativa, sintonizando-o com ela e tornando-o ciente da presença dos anjos por trás de todo fôlego criativo que você toma.
2. Faça uma caminhada num ambiente natural e agradeça por tudo o que o fizer lembrar da bondade da vida naquilo que você for encontrando. Pegue uma pedra ou pedregulho e faça dele um lembrete da sua gratidão.

Crie arrebatamento

Vimos antes que, quando uma atividade é totalmente absorvente, não sobra atenção suficiente para permitir que se pense no passado, no futuro, ou em qualquer outro estímulo temporariamente irrelevante.

Mihaly Csikszentmihalyi, *Flow*

Muitos artistas e escritores entram num estado de consciência alterado quando estão em processo de criação. Quando retornam, ficam surpresos com aquilo que criaram. Esse processo nada tem de novo nem de incomum; muitos de nós já passaram por uma experiência desse tipo. Trata-se de uma indicação do fato de se estar vinculado — de corpo, mente e espírito — com o domínio das idéias criativas e da inspiração angélica. Experimentar esse arrebatamento equivale a percorrer o terreno mais elevado da nossa criatividade, plano em que nós e os anjos formamos um só ser. Ficamos arrebatados quando estamos plenamente na Terra mas temos a mente ligada ao céu. Criar arrebatamento envolve conectar o nosso sistema de energia com o fluxo divino do universo, de que resulta uma sensação de bem-estar e de graça.

O arrebatamento vem quando de fato apreciamos o que fazemos. Se nos sentimos pressionados ou restritos por um limite de tempo, é mais difícil atingir esse estado. Se estamos obcecados com detalhes "sérios", o arrebatamento é quase impossível até que dissipemos as nossas preocupações e a nossa auto-absorção. Você acha que os violinistas de uma orquestra sinfônica se preocupam com o que aconteceu ou vai acontecer quando estão tocando Mozart? Duvido. Quando de fato apreciamos fazer algo para o qual temos talento, o arrebatamento se faz presente. Ele também ajuda a tornar-nos grandes em alguma atividade. Em termos essenciais, o arrebatamento requer atenção para com o momento, despreocupação, ter as capacidades necessárias para fazer o que estamos fazendo e, o que é mais importante, aproveitar aquilo que estamos fazendo. Quando precisamos fazer algo, criamos alegria e os anjos nos ajudam.

"Deixe-se arrebatar!"

1. Explicar o arrebatamento é um tanto ridículo! Por isso, vou parar enquanto só me sinto um pouco ridícula. Comece a notar o arrebatamento ao seu redor. Observe as crianças brincarem e veja o prazer que elas criam. Peça aos anjos que o ajudem a criar arrebatamento. Não fique obstinado em criar arrebatamento. Apenas peça e, antes que você se dê conta, estará sentindo-se arrebatado. Como este se assemelha a um estado de sonho, você simplesmente não pode criá-lo pensando demais nele. Assim, peça e esteja receptivo. Cada vez que você experimentá-lo, ficará mais fácil ter essa experiência. Dentro em breve, criar arrebatamento será tão simples quanto respirar.

Crie concentração

Descobri que também vivo na alvorada da criação.
As estrelas da manhã ainda cantam juntas e o mundo, que ainda não está semifeito, torna-se mais belo a cada dia.
John Muir

Concentração significa ter um centro de atividades ou interesses. Se você já usou uma câmera sem foco automático, sabe que focalizar significa tornar a foto o mais nítida possível. Assim, ter foco ou concentração envolve saber com clareza o que você quer criar. Tendo concentração, você descobre um certo sabor e inclinação na sua criatividade. Ter concentração e conhecer as próprias habilidades permite a você um acesso mais profundo à esfera da inspiração criativa. Concentrar-se é focalizar de maneira pessoal. A concentração também pode ajudá-lo a alcançar o seu principal objetivo; tendo foco, você sabe o que está pretendendo criar.

Concentração não é o mesmo que auto-absorção. Trata-se de algo que implica sair de si mesmo e não se deixar influenciar pelo próprio humor e questões pessoais a fim de ganhar clareza. Pense em como você pode focalizar as lentes da sua própria criatividade. Os anjos o ajudarão, podendo terminar por ser parte importante do seu foco. Analise atividades criativas passadas e procure identificar o seu grau de concentração e clareza de intenção na ocasião. Lembre-se também de que o foco é somente um possível componente capaz de ajudá-lo a expressar a sua criatividade; ele nem sempre é necessário. Às vezes, você pode querer ficar completamente fora de foco e ver para onde esse estado o conduz.

Concentre-se no céu

1. Quando estiver na rua, faça uma pequena brincadeira com os anjos. De vez em quando, pare e concentre-se no céu. Olhe em volta e imagine que a sua visão se faz através das lentes dos anjos. O que você cria fazendo isso é uma percepção aumentada. As cores podem parecer mais brilhantes, os sons podem mudar, o ar pode vibrar e você pode ver o espírito brilhando ao seu redor. Traga essa percepção intensificada para a sua vida da maneira que você precisar, para o que quer que esteja fazendo, e quando você quiser. As lentes dos anjos sempre estão à nossa disposição para que olhemos por elas. Divirta-se.

Faça uma meditação sobre o foco e a concentração. Pense numa atividade criativa e finja que você tem uma lente para focalizá-la enquanto a analisa. Anote o que descobrir sobre isso.

Crie gentileza

Seja gentil, porque cada pessoa que você encontra está travando uma dura batalha.

Platão

A gentileza exige absoluta disciplina, mas não pelas razões que podemos pensar. A gentileza é tão pura em sua forma verdadeira que o mínimo grau de fingimento ou de energia insincera pode contaminá-la. Tinha razão o salmista que escreveu: "Ó Deus, cria em mim um coração puro, renova um espírito firme no meu peito" (Salmo 51:10). Para criar gentileza, temos de ter um coração puro. Ser gentil significa ser delicado e ponderado em nossa conduta com os outros. Para consegui-lo, temos de estar equilibrados e ser capazes de ver cada situação com clareza, encarando-a como uma oportunidade de ser gentil de maneira ímpar. Os anjos nos ensinam que a gentileza não significa necessariamente agradar ou fazer algo que alguém quer que façamos, a não ser que isso seja o mais certo a fazer e que saibamos disso em nosso coração. Por vezes, quando somos gentis demais, as pessoas projetam em nós o oposto, principalmente por querer mais de nós, quem sabe até uma parte da nossa alma, que não temos permissão de dar.

A inocência permite-nos manter gentileza pura e simples. Um estado de inocência não equivale à estupidez ou à tolice; ele tem o significado de ser inofensivo e de respeitar a vida. Mantenha um sentimento de inocência interior quando estiver criando gentileza. Se achar que já perdeu a sua inocência, saiba que ela pode estar se escondendo, mas você pode encontrá-la. A inocência vem daquele lugar em sua alma que é pacífico e sereno. Comece a recorrer ao espaço interior de paz e peça aos anjos que o ajudem a responder à vida com inocência. Assim, as suas ações serão corretas e você ficará sabendo quando algo parece certo. Lembre-se de ser gentil, antes de tudo, consigo mesmo. Se algo que você encontrar tiver a aparência de uma cobra e você sentir que é uma cobra, pelo amor de Deus afaste-se e dirija a sua atenção para outras áreas em que você possa expressar a gentileza.

A vida nos ensina a ser menos rigorosos com o nosso próprio ser e com os outros.

Goethe

Considerações sobre a gentileza

1. Não mate com gentileza. Ser gentil significa ser ponderado; assim, pondere acerca da situação e respeite todos os envolvidos, incluindo você mesmo. Tenha em mente a gentileza angélica.

2. Quando o seu coração é puro, a gentileza não é um problema; é uma resposta angélica natural.

3. Não permita que a sua mente julgue a gentileza. Deixe que o seu coração e o seu anjo sejam o seu guia.

4. Simplifique os seus relacionamentos cotidianos. Permita que os ventos angélicos do céu soprem entre você e o outro. Os ventos evitarão que qualquer sentimento pegajoso e negativo se apegue ao seu núcleo interior, onde residem a paz e a serenidade.

Crie generosidade

A generosidade é a propensão a dar, a se abrir sem motivos filosóficos, piedosos ou religiosos; é simplesmente fazer o necessário em qualquer momento e em qualquer situação, sem ter medo de receber o que quer que seja.

Chögyam Trungpa, *Cutting Through Spiritual Materialism**

Ser generosa sempre foi muito importante para mim, porque a minha vida tem sido tão abençoada que quero partilhar as minhas bênçãos com outras pessoas. Entretanto, algumas vezes vi-me confusa a respeito da generosidade. Até recentemente, eu a associava em especial com dar dinheiro ou algum bem material a alguém. Mas agora acho que ela é muito mais do que isso. A generosidade é uma energia que requer uma reserva abundante e tem de vir de uma fonte equilibrada. Você pode dar a camisa que veste. Pode dar a sua última moeda, se for isso o que seu coração pedir. Se, no entanto, estiver pondo a si mesmo e às suas necessidades num nível inferior de importância, você não estará sendo verdadeiramente generoso. Dar para se sentir superior ou por pensar que se é superior não é a verdadeira generosidade. Ser capaz de receber generosidade também pode ser enganoso.

---

* *Além do Materialismo Espiritual.* Publicado pela Ed. Cultrix, São Paulo, 1987.

Ser generoso é aprender a dar o que é realmente necessário. Com muita freqüência, o nosso tempo — a nossa sabedoria, a nossa capacidade de ouvir e o nosso amor — são mais necessários do que dinheiro ou um presente. A verdadeira generosidade é dar livremente o que for exigido no momento e fazê-lo sem alarde nem desgaste. É comum que a nossa presença seja exigida ou pedida, e começamos a pensar no modo de nos livrarmos, em vez de nos envolver com aquilo. Às vezes gasto mais energia e tempo tentando evitar algo que acho que pode tomar muito do meu tempo, do que eu gastaria se simplesmente cedesse e me fizesse presente no momento, permitindo que a maravilhosa energia da generosidade prevalecesse.

"Ceder"

1. Para você, o que significa ser generoso?
2. De que maneira você pode ceder ao momento e ser generoso?
3. Analise a generosidade dos anjos. O que a generosidade deles tem significado para você?
4. Pense em si mesmo como um presente. Se for aceito, muito bem; se não for, muito bem. Seja você mesmo e entregue-se ao momento. Permita que os anjos venham e peça e orientação deles. Assim, você irá começar a tornar-se um espírito generoso, tendo os anjos em sua vida, sem esgotar a sua fonte de energia.

Crie atenção

Se estivéssemos de fato atentos enquanto percorríamos o caminho para a cidade, consideraríamos a ação de cada passo dado como um infinito prodígio, e a alegria abriria o nosso coração como a uma flor, permitindo-nos penetrar no mundo da realidade.

Thich Nhat Hanh, *The Miracle of Mindfulness*

Pare agora mesmo e pense no que tem preenchido a sua mente nos últimos tempos. A mente é sua e você pode enchê-la do que quiser. Às vezes, entretanto, parece que a nossa mente preenche a si mesma com aquilo que estamos tentando evitar, como o medo, as aflições, as preocupações com o trabalho ou a sensação de que algo nos falta.

A atenção envolve fazer escolhas junto com os anjos a cada momento, pedindo a eles que nos ajudem a preencher a mente com pensamentos celestes e pensamentos criativos que afirmem a vida. A atenção nos lembra de parar e observar o milagre dó momento presente.

A atenção é, na verdade, um processo de estar desperto e consciente, e de viver no agora. Trich Nhat Hanh escreveu um livro chamado *The Miracle of Mindfulness*, que muito recomendo; trata-se de um livro que vai ajudar você a interromper a sua vida frenética e preencher de paz a sua mente.

"Sinos-lembretes"

1. Pense em pequenos detalhes que podem lembrá-lo, durante o dia, de preencher a mente com a paz divina. Dou-lhes o nome de "meus sinos-lembretes". Quando ouço os meus sininhos (tenho sete deles colocados estrategicamente ao redor da minha casa), sempre paro e imagino que os anjos estão tocando uma melodia celestial. Outras coisas que me lembram de parar e relaxar no momento presente é ouvir um pássaro cantar, crianças rirem ou darem gritos joviais, e observar os meus gatos passearem pela grama alta. Às vezes escolho um lembrete para praticar em vários momentos durante o dia; por exemplo, olhar para o céu pelo menos uma vez por hora para lembrar-me da paz. Tento manter-me consciente dessa prática o dia inteiro. Pense em alguns "sinos-lembrente" que você pode designar em sua vida para delicadamente lembrá-lo de preencher a sua mente com Deus, com os anjos e com sua beleza, paz e esperança divinas.

2. Passe algum tempo durante o dia fazendo as coisas em câmara lenta. Por exemplo, quando estiver lavando o cabelo, alcance lentamente o recipiente com o xampu, derrame vagarosamente o xampu em suas mãos observando com atenção a sua saída do recipiente. Observe todas as cores, cheiros e sensações envolvidos no ato de lavar o cabelo em câmara lenta. Pense em outras coisas a fazer em câmara lenta. Essa é uma boa maneira de criar atenção.

Crie humildade

A modéstia, o perdão, a clareza e o amor, todas essas dádivas do espírito fincam raízes e florescem, e você atrai para si a maior dádiva do universo: seres humanos de coração aberto.

Gary Zukav, *A Morada da Alma*

A humildade é outro ato equilibrador introduzido pelos anjos em nossa vida. A razão por que a humildade requer equilíbrio está no seu significado. Ter humildade significa ter uma atitude modesta, e a definição de *modesto* é ter uma imagem comedida da própia importância. Precisamos perguntar aos anjos como ser humildes continuando a amar a nós mesmos e a sentir-nos apropriadamente importantes. A resposta é: tome cuidado com o orgulho excessivo. A empáfia — o orgulho levado ao extremo — é o que levou o arcanjo Lúcifer à queda. Num momento de sinceridade, um homem conhecido e realizado disse que o seu principal problema na vida era vencer os efeitos limitadores do orgulho. Quando somos presunçosos, começa a verdadeira comédia, mas só percebemos isso quando nos desprendemos e damos uma olhada honesta em nós mesmos e na maneira pela qual o orgulho nos cria problemas. Sempre que me sinto levada pelo meu papel de escritora e pela importante mensagem que quero transmitir, advém na minha vida a dor, de algum modo, para ensinar-me a humildade. Os anjos nos ensinam a humildade com a maior delicadeza possível, a não ser que estejamos no caminho errado e precisemos de um nível maior de dor para chamar a nossa atenção. Delicadas ou não, as lições de humildade são importantes. Estamos, em última análise, a serviço do Criador e todos temos papéis importantes a desempenhar. Contudo, temos de nos lembrar de que somos apenas seres humanos, por mais magnífico que isso possa ser. Somos seres espirituais que estão aqui para se educar e para passar por bons momentos enquanto fazem isso. Não recebemos condecorações para exibir aos outros quando fazemos algo bem-feito.

Sou muito grata por ter acumulado tanto amor em minha vida. Esse amor muitas vezes me salvou de "quebrar a cara". Em última análise, é o amor que vou levar comigo desta experiência terrena — o verdadeiro amor. Assim, quando me vejo presunçosa, posso voltar rapidamente à Terra no momento em que percebo que não sou melhor, superior, nem mais importante do que qualquer outra pessoa, que sou amada não por aquilo que faço, mas por quem sou, e que o amor é a verdadeira glória.

Ser um espírito humilde traz um grande prêmio: atraímos mais amor e bondade para a vida. Para atrair o bem, você tem de ser autenticamente humilde, ou seja, não pensar em ser assim. Há muita falsa humildade na terra, isto é, pessoas que pensam que estão condescendendo em estar com os que lhes são inferiores, ou pessoas que usam outras em situação difícil antes para exaltar o ego do que para o bem de todos. Não se concentre nessas pessoas, mas tenha consciência de que todas essas expressões de presunção existem como uma lição acerca da importância da humildade.

A verdadeira humildade

1. Muitas pessoas começam a alcançar a humildade quando se vêem presas em uma situação que envolva vício e, por fim, recorrem a um programa de Doze Passos. No segundo dos Doze Passos, começamos a aceitar que um poder maior do que nós pode nos restaurar a sanidade mental. Está claro de que maneira esse conceito leva a um sentimento de humildade. O sétimo passo de fato usa a palavra *humilde*: "Pedimos humildemente a Deus que remova as nossas limitações." O vício e a presunção estão fortemente ligados. Para realmente nos recuperar de um vício, temos de aceitar o fato de que não temos mais ou menos controle do que qualquer outra pessoa, que não somos amados por Deus mais ou menos do que qualquer outra pessoa, e que não fomos marcados para sofrer mais ou menos do que ninguém. Em outras palavras, somos especiais, mas não pelas razões que podemos imaginar. Somos especiais simplesmente sendo quem somos e na maneira como demonstramos amor. Peça aos anjos que o ajudem a pedir a Deus para remover as suas limitações. Peça que as suas lições de humildade sejam delicadas mas completas. Por meio da humildade vem a verdadeira liberdade, e você só entenderá essa verdade quando a vivenciar.

2. Pense em como ter amor-próprio mas não ser arrogante. Não há problema em termos orgulho de nós mesmos, em especial quando vencemos barreiras espirituais e damos saltos no crescimento pessoal. Os anjos também se orgulham de nós por isso. O problema surge quando julgamos os fatos como certos ou errados. Lembre-se de que não há opiniões certas ou erradas, nem respostas definitivas. Embora alguns possam afirmar isso em termos filosóficos, por favor não leve a sério. Quando você começar a ver que a opinião dos outros é simplesmente diferente da sua — não errada ou algo que você tem de mudar —, não será só humildade que você conseguirá na vida; haverá também mais sabedoria e menos estresse. Quando você sente que o seu orgulho é ferido, o ressentimento pode durar para sempre. Assim, pense no que em sua vida envolve o orgulho e peça aos anjos que lhe dêem uma percepção clara.

Comece a sentir-se orgulhoso de si mesmo cada vez que abandonar o seu orgulho. Os anjos o ajudarão!

Crie com o coração

A Voz Divina nem sempre se exprime em palavras. Ela chega ao nosso conhecimento como o saber proveniente do coração.
Dois Ouvintes, *God Calling*, organizado por A. J. Russell

Há pouco tempo, tive uma conversa com um homem que publicara (mas não escrevera) um pequeno livro que fizera sucesso por si mesmo, sem promoção além da propaganda boca-a-boca, chegando a vender bastante — um livro que provocou comentários positivos e o envio de muitas cartas. Ele me disse que estava em busca de outro livro como esse, para poder ter outro sucesso de vendas, mas estava tendo muita dificuldade para encontrar algo parecido e não conseguia perceber por quê. Perguntou-me por que eu achava que as pessoas tinham gostado tanto desse livro e por que ele não conseguia encontrar com rapidez uma idéia semelhante. Eu lhe disse que o livro que ele publicara alcança o coração, toca o coração e fala ao coração. Fora escrito com o coração para ensinar amor. O livro era resultado da verdadeira originalidade porque fora escrito a partir do coração de alguém que queria que o seu próprio tipo especial de amor fosse expresso ao mundo. Ele pode encontrar outro livro que também toque o coração, mas terá de ser algo original. Esse outro livro tem de vir do coração. Cópias simplesmente não servem. Não há uma fórmula estabelecida para escrever ou para fazer algo que toque o coração.

Para alcançar outro coração, uma mensagem tem de ter como origem o coração, o amor. Paramahansa Yogananda disse certa vez: "O amor é a conversa silenciosa entre dois corações." Assim, para transmitir no nível do coração, precisamos estar dispostos a dar amor ao mundo e perceber que isso não é algo que tentamos fazer ou que falamos em fazer. Ou fazemos, ou não. Podemos fazê-lo sem nem perceber. Tentar, alardear, forçar, explicar, convencer e copiar não vão permitir que o seu coração cante para outro. Ser você mesmo, transmitir o seu amor especial, ser amor, dar aos outros a liberdade de receber o seu amor sem tentar convencê-los e pedir aos anjos uma verdadeira orientação permitirá que o seu coração atinja outros corações. "Encorajar" significa fazer uma pessoa ficar animada. É isso que os seus anjos querem — encorajá-lo para que você revele a verdadeira identidade do seu coração.

Explorando a terra do coração

1. Pense em todas as palavras e ditados sobre o coração: cordial, puro de coração, de coração aberto, o coração da questão, com o coração apertado, com coragem, abrir o coração, concordar, etc. E há muito mais. O que a palavra *coração* significa para você?

2. Pense no que toca o seu próprio coração e por quê.

3. Como você pode cultivar o coração nos seus dons criativos? Visualize os anjos dando asas ao seu coração. Que lhe parece? Como os anjos ajudam os corações a alcançar uns aos outros?

Crie para a glória do Criador

Cada ser humano tem uma alma. A jornada rumo à condição individual de alma é o que distingue o reino humano do reino animal, do reino vegetal e do reino mineral. Somente o reino humano tem a experiência da condição individual de alma. É essa a razão pela qual seus poderes de criação são grandes.

Gary Zukav, *A Morada da Alma*

Tudo aquilo que os anjos fazem é para a glória do Criador. Eles passam o dia entoando louvores a Deus. Eles louvam a Deus com o seu amor e serviço. Você pode se perguntar como eles conseguem cuidar de nós e louvar a Deus ao mesmo tempo. Você pode também imaginar de que maneira podemos nos assemelhar a anjos e passar o dia louvando a Deus em tudo aquilo o que fazemos. É muito simples. Basta fazer tudo o que fazemos, para a glória de Deus. Isso envolve intenção. E também tem que ver com a criação de uma alma pura de modo que, façamos o que fizermos, a nossa alma esteja alinhada com o bem maior. Tornamos a nossa alma pura prestando atenção. A vida humana é uma experiência sagrada. É uma dádiva, uma oportunidade para que prefiramos conscientemente usar o nosso livre-arbítrio a fim de amar a Deus.

Uma maneira de ter certeza de que criamos para a glória de Deus é servir a partir da alegria, e não da obrigação. Eis o que o Criador quer: serviço com um coração alegre. Serviço com tensões e pressões não é bom para você. Pense no serviço como uma forma de brincadeira em sua modalidade mais elevada. Pense em sua vida e em como você pode transformar quase tudo o que faz em serviço, com alegria e leveza, para a glória do Criador.

Algo de que tenho um conhecimento profundo é que as pessoas que têm uma sólida base espiritual, um centro espiritual, sempre estão bem. Não digo que elas sempre gostem das cartas que a vida lhes dá, mas que elas jogam assim mesmo. No âmago do seu ser, elas *conhecem* a Deus e aos anjos, e esse conhecimento cria nelas um reservatório de força. Ter um centro espiritual significa que você leva a luz de Deus para aqueles que podem ver. Você não a esconde nem a ignora.

Várias vezes na minha vida, as pessoas pensaram que eu tinha algo especial a meu favor de que elas não dispunham. Elas tentaram insistentemente fazer uma idéia do que era aquilo e explicá-lo. Às vezes diziam: "Ah, ela é apenas sortuda" ou "Bem, ela foi bem criada; ela teve todas as oportunidades" — tentando então projetar na minha personalidade alguma característica negativa. É difícil escrever sobre isto por se tratar de algo pessoal e porque não quero passar uma idéia errada. Escrevo sobre isto aqui porque talvez ajude alguém a compreender um pouco acerca de algo muito simples. Sinto-me afortunada por uma razão principal: porque, quando muito jovem, pude cultivar um relacionamento com Deus, tendo sido apoiada nisso pelas pessoas que me criaram. Isso na verdade não tinha muita relação com a religião em si. Vinculava-se mais com a oração e com a contemplação espiritual, duas coisas que tenho feito desde que posso me lembrar. A oração e o conhecimento de que a luz de Deus está dentro de mim fizeram-me vencer todas as dificuldades e assimilar todas as lições que apareceram no meu caminho. Assim, essa é a minha verdade, ou pelo menos uma das minhas principais verdades. Se você está imaginando como fazer para criar o seu próprio centro espiritual — se sente que lhe falta um —, tudo o que tem a fazer é tornar a oração uma parte inerente à sua vida, à sua maneira especial. Saiba que, quando tudo o mais falhar, tudo estará bem se você se entregar ao amor de Deus. Pode parecer simples; mas por que não deveria ser?

A devoção como grande amor

1. Criar devoção é uma maneira de permitir que a sua verdadeira criatividade espiritual se manifeste e brinque com os anjos. Somente

nós podemos nos separar de Deus, e é só por meio da ilusão que o fazemos. Também somos os únicos que podemos dizer a nós mesmos como amar e dedicar o próprio ser ao Criador. A devoção é uma importante maneira de permanecer em estreito contato e em harmonia com o reino angélico. A devoção é pessoal, e cabe a você escolher como brincar com ela. Comece tomando consciência dela.

2. "Hosana" é uma exclamação de adoração a Deus. Quando sentir necessidade de estabelecer contato com a sua alma, que está sempre louvando e adorando a Deus, faça um cântico ou canção que contenha "Hosana" ou "Hosana nas alturas".

3. Tenha em mente que para todos os problemas psicológicos há uma resposta espiritual. Uma vida espiritual é absolutamente necessária à saúde psicológica. Os anjos têm o remédio espiritual para o que quer que aflija a sua alma. Peça-lhes e você será levado à sua própria resposta espiritual.

4. Uma definição de *entusiasmo* é "estar pleno de Deus ou inspirado por Deus". Quando temos entusiasmo por alguma coisa, temos energia com relação a ela. Deus é a energia do amor e, por isso, quando temos entusiasmo, ficamos plenos de amor por aquilo que fazemos. Se sentir que não está pleno de amor e de entusiasmo por aquilo que você faz todos os dias, em particular na esfera da criatividade, peça inspiração aos anjos. Eles vivem no coração do entusiasmo e estão sempre prontos a pôr um pouco dele no seu caminho.

5. Mantenha a sua luz interior brilhando, seu centro vital forte e espiritual e permaneça próximo dos anjos. Dessa maneira, você será uma força criativa natural para a glória e a luz do Criador.

Observações finais da Parte Um

É da natureza da palavra revelar o que se acha oculto. A palavra que está oculta ainda brilha na escuridão e sussurra no silêncio. Ela nos impele a procurá-la, a ansiar e suspirar por ela. Pois ela quer revelar-nos algo sobre Deus.

Meister Eckhart

A minha esperança é que a Parte Um tenha ajudado você a desenvolver um sentimento de coragem para fazer da criatividade uma parte dinâmica, natural e vital da sua experiência humana. Há muitas crenças sobre a criatividade e muito tem sido escrito acerca do assunto. Comecei pesquisando boa parte deste material a fim de poder cobrir todas as frentes. Entretanto, a minha intuição e a inspiração vinda dos anjos levaram-me numa direção diferente. Dei-me conta de que não preciso me aprofundar nem rever as idéias comuns sobre a criatividade. É claro que algumas das minhas idéias são influenciadas pelo que li, mas a leitura sozinha não pode atingir o cerne da questão. As palavras não são suficientes para transmitir a coragem e o amor-próprio disponíveis para que você desenvolva e vivencie a sua própria criatividade. Assim, aconteça o que acontecer enquanto você lê este livro, lembre-se de que as palavras não são a parte importante. O essencial é a mensagem dos anjos, e esta ressoará de maneira especial para você. Usei neste livro muitas palavras. Gosto das palavras, mas há algo mais além delas que quero que você descubra e conheça. Não sei que forma isso toma para cada pessoa. Só você pode saber, e eu também continuarei a descobrir o que este livro tem a oferecer bem depois de ele ser publicado.

Os anjos podem ver o seu eu criativo o tempo inteiro. Eles amam você e querem que você ame a si mesmo no pleno reconhecimento do magnífico ser criativo que você é. Sei que isso soa grandioso, mas é verdade. Você é magnificamente criativo, tendo acesso a um infinito reino repleto de idéias criativas a serem desenvolvidas. Nos anjos você tem uma torcida sempre presente para impeli-lo a alcançar a grandeza.

Não pense demais enquanto estiver esperando a musa. Tenha em mente que não há de fato nada com que se preocupar. Tudo vai bem e está entregue a mãos divinas. O mundo está ficando melhor, e não pior. Reúna a coragem para jogar fora toda idéia que você já teve sobre a criatividade e para começar do começo. Usei as palavras da minha sobrinha Elizabeth para abrir o livro. Muitos de nós devem ter pensando: "Oh, as crianças são tão criativas, mas nós já perdemos essas qualidades"; contudo, Elizabeth, aos doze anos, diz-nos que quanto mais velhos ficamos, tanto mais criativos somos. As crianças estão olhando para nós, e nós *somos* criativos. Permita que as velhas idéias sobre quem você pensa ser, ou quem você planejava ser, desapareçam. Deixe que surja uma nova energia para que você seja um espírito individual livre. Torne-se alguém capaz de se unir ao Uno.

A partir de agora, a musa irá ao seu encontro, levando-lhe mensagens das maneiras mais criativas — por meio dos seus sonhos, por meio dos pássaros e das nuvens, por meio de pequenas vozes constantes, e de inúmeros outros modos. Você não descansará até prestar atenção a essas mensagens e tornar a criatividade a sua forma de conviver com os anjos.

Parte Dois

Tirando a Lama das Asas

Sobre a Parte Dois

Um diamante é menos valioso por estar coberto de lama? Deus vê a beleza imutável da nossa alma. Ele sabe que não somos os nossos erros.

Paramahansa Yogananda

A Parte Dois oferece idéias para "tirar a lama das asas", a fim de que não sejamos esmagados sob o peso de crenças e preocupações obsoletas e possamos voar com liberdade. Esse processo ajuda a retirar a lama da luz da nossa alma para que possamos exprimir a nós mesmos de modo claro e brilhante. A lama consiste nos nossos padrões de pensamento negativo e temores, caronas que pegamos no caminho pela vida e que de alguma maneira esquecemos de deixar no seu destino. Há ocasiões em que esses elementos negativos podem bloquear a nossa criatividade; no entanto, a criatividade é o antídoto para padrões negativos que consomem o nosso tempo. Se você se vir aprisionado por aflições, temores ou algo parecido, imagine jogos para brincar com os anjos a fim de promover maneiras criativas de alterar a energia. A melhor maneira que descobri para me livrar rapidamente de preocupações e percepções errôneas é simplesmente começar a escrever sobre elas com os anjos por perto. Faço isso usando o fluxo de consciência, uma prática que compartilho nesta seção.

Outra grande maneira de mudar percepções é fazer algo criativo e concreto, como preparar uma comida, mudar os móveis de lugar, pintar um quadro, falar com uma criança ou tirar uma soneca criativa com os anjos. Você descobrirá que o seu sistema de energia troca de bateria e passa a um nível superior. Quando você voltar ao problema original, este lhe parecerá mais leve e você estará mais desligado dele. Então, você terá liberdade para estender as suas asas e voar!

Capítulo 3

Liberando Bloqueios

Todos temos na vida problemas que exigem alguma atenção criativa para que não nos bloqueiem nem tornem a nossa existência menos agradável. Se ignorarmos esses nossos problemas e tentarmos seguir em frente como se tudo corresse às mil maravilhas, criaremos negação. Essa negação nos atinge em outro nível e começa a drenar a nossa energia criativa. Naturalmente, todas as questões têm o seu momento propício para ser resolvidas, e esse processo pode levar tempo. Assim, não tente lançar-se aos problemas e acabar com eles num segundo. Isso não apenas não funciona como serve para alimentar a nossa negação. Pense na resolução de problemas como num processo criativo, que se modifica e se expande, que tem os seus altos e baixos. Não aceite explicações que não provoquem em você uma ressonância. A dor é complexa e assume para cada um de nós aparência singular. Em outras palavras, realmente não há respostas prontas para resolver todos os nossos problemas. Não obstante, usar a nossa imaginação abençoada e receber orientação espiritual dos anjos só pode ajudar.

Os nossos problemas podem impelir-nos a atos criativos se nos permitirmos estar receptivos ao crescimento, à mudança e, acima de tudo, à ajuda espiritual. Esta se encontra disponível para todos os problemas, grandes ou pequenos, bem como para cada alegria na vida. Quando optamos por conhecer Deus e os anjos como uma realidade da vida diária, percebemos que os anjos são auxiliares espirituais que podem ajudar-nos de muitas maneiras práticas. Eles estão sempre à nossa disposição, podendo nos dar assistência de modos criativos quando nos dirigimos ao que é positivo. Os anjos nos guiam na direção que nos dará mais força e que melhor construirá o nosso caráter.

Quando se trata de vencer bloqueios, *liberar* é a palavra mágica.

Questionando os mitos da criatividade

1. Ser criativo significa ser você mesmo, libertar o seu espírito e alimentar a sua alma. Faça a si mesmo as seguintes perguntas sobre a criatividade, a arte e várias modalidades de auto-expressão. Esse processo o ajudará a ter uma idéia do que você pensa sobre a auto-expressão. Lembre-se de que não há crenças boas ou ruins aqui; tudo é uma questão de identificar pensamentos que você tem agora. Responda às perguntas com os seus pensamentos e sentimentos mais profundos, e não pelo que você pode ter aprendido ou lido.

- O que significa ser criativo?
- O que constitui uma pessoa criativa?
- O que é criatividade?
- O que é talento?
- O que é arte?
- Pode um pintor bem-sucedido ser um escritor talentoso?
- Todo músico ou estudante de música precisa estudar escalas para tocar piano bem?
- Pode um poeta sensível ter êxito no mundo dos negócios?
- Todos os escritores foram excepcionais alunos de língua?
- É preciso nascer com talento para ser artista?
- Passada uma certa idade, é tarde demais para começar a desenvolver uma forma de arte?
- Deveriam todos os artistas ser capazes de desenhar, ou reproduzir, uma réplica exata de uma "natureza morta"?

2. Cada uma dessas perguntas envolve um mito sobre a criatividade e a natureza artística. Considere cada pergunta e identifique o mito; depois, pergunte a si mesmo se alguma vez (ou agora) você foi (é) influenciado por ele. Pense em alguns outros mitos que você possa conhecer e considere se essas idéias já o bloquearam de algum modo. Se encontrar um mito que você aceita e quiser mudar isso, brinque com a "Declaração de Independência" nas páginas 104/5.

Liberte a sua voz criativa

Às vezes me perguntam: "Quando você percebeu pela primeira vez que queria ser escritora?" Eu nunca pensei de fato sobre se queria ou não ser escritora. Simplesmente nunca me ocorreu que eu não fosse. Eu o tenho sido há muito tempo. Não posso afirmar que tudo o que escrevi se aproxime de algum modo da excelência literária. Mas esse não foi o meu objetivo. Comecei a manter um diário desde muito jovem. Era um diário de cinco anos com um pequeno espaço para escrever em cada dia, razão pela qual o que fiz foi principalmente relacionar as minhas atividades diárias. Muitas vezes eu adicionava os meus sentimentos ou um comentário sobre a vida. Tudo era muito simples na época, mas parecia muito importante. Vieram então os tolos tempos de escola, em que, por exemplo, reescrevi o jornal da escola junto com uma amiga, fazendo as nossas próprias ilustrações e seções especiais. Outro exercício de escrita dessa época — não dado pelos professores — eram os longos bilhetes que minhas amigas e eu escrevíamos umas para as outras, às vezes durante as aulas e outras vezes em casa; neles, revelávamos os nossos sentimentos sobre tudo — desde namorados até o que tínhamos comido na noite anterior. Comprei um caderno com capa preta e a foto de uma pessoa sentada ao pôr-do-sol perto de umas pedras, com o título "O Pensamento É Livre". Foi então que me tornei escritora à minha maneira. Essa foi para mim uma época sagrada. Eu podia escrever sobre os meus sentimentos, fazer poemas, agir de modo tolo ou compenetrado, e ninguém podia restringir o meu espírito.

Escrever é uma atividade pessoal. Algumas pessoas têm talentos peculiares que revelam gênio literário, ao passo que outras promovem idéias com um toque só seu, embora o que escrevem possa não ganhar prêmios. Outros escritores criam histórias que mexem com os nossos sentimentos usando as palavras mais simples. Há mais maneiras de escrever, e creio que todos podemos ser escritores se tivermos o desejo e formos capazes de afastar restrições e crenças limitadoras que possam nos impedir de pôr de fato as idéias no papel. Lembre-se de que a maioria dos leitores lê em busca de idéias; ou seja, eles estão procurando algo que os estimule a pensar. Só umas poucas pessoas lêem com um olho totalmente crítico sobre a escrita e sobre a própria estrutura — e, com muita freqüência, essas pessoas não percebem as idéias nem a inspiração. Mais um pensamento: considere a possibilidade de ser um autor *versus* ser um escritor. Um autor é um criador de idéias, é alguém que dá nova luz às idéias.

Declaração de Independência

das
críticas e mitos que dizem que não somos
seres criativos e gloriosos,
bem como de
crenças ultrapassadas e paradigmas restritivos:

Eu, ____________________, decido, formal e voluntariamente, ser receptivo(a) à mudança.

Gostaria de eliminar e transmutar os seguintes comportamentos, crenças, mitos e/ou críticas da minha vida que possam estar bloqueando mentalmente a minha energia criativa: ____________

____

____

Concordo em agir para facilitar o meu progresso pondo em prática as seguintes ações criativas positivas e concentrando-me nas seguintes idéias positivas sobre a criatividade: ____________

____

____

Peço que se estabeleça um novo canal de percepção no meu cérebro para detectar a voz da crítica quando ela falar, a fim de que eu possa preferir não ouvir. Peço para ver como, ou se, estive me limitando e sabotando a minha criatividade. Assim, peço aos anjos que abençoem esta declaração e instilem inspiração positiva no lugar dos padrões e crenças prejudiciais que estavam me afastando da minha energia criativa inata. Peço que os seguintes anjos estejam à disposição para me orientar na direção correta:

Agradeço aos anjos e ao Poder Superior em minha vida. Sei que sou um ser criativo, inspirado pelos anjos, cheio de idéias estimulantes e de uma ilimitada energia criativa. Esta declaração é oferecida para o Bem Maior de todos.

Assinado: ______________________________

Data: ______________________________

O primeiro exercício de escrita que quero partilhar com você é algo que vai permitir-lhe entrar em contato com seu talento em termos de escrita e tornar o processo divertido. É também uma maneira de começar a escrever com os anjos e de descobrir a si mesmo como escritor criativo. Este exercício foi inspirado por uma tarefa de casa do curso de Letras que me foi pedida no primeiro ano de faculdade. Uma versão dele também está em *Os Anjos — Guardiães da Esperança*. Trata-se de um exercício de seguir o fluxo de consciência.

Definindo o momento

1. Às vezes, quando me vejo tomada por preocupações e pensamentos negativos, procuro um lugar calmo onde possa ficar sozinha com os anjos, pego o meu diário e começo a escrever sobre isso. Anoto todo e qualquer fato que esteja acontecendo nesse exato momento, incluídos aí os meus temores, as minhas preocupações, e os meus pensamentos felizes; a temperatura da sala e o seu efeito sobre mim; o que está acontecendo lá fora se eu estiver dentro de casa; os sons que ouço, o que parecem ser; e como a luz está vibrando na sala ou fora dela. Escrevo sobre o cansaço, o nervosismo, a tensão, o relaxamento ou o entorpecimento do meu corpo. Em outras palavras, tento definir toda a minha experiência no agora, incluindo tudo o que me faz sair do agora, tal como as preocupações.

Escrevendo tudo isso com liberdade, você descobrirá muitas coisas interessantes. Uma é que pode passar de pensamentos felizes para pensamentos tristes ou desagradáveis com muita facilidade. Você não fica necessariamente absorvido por um único estado de espírito, como às vezes somos levados a crer. Além disso, você pode descobrir a própria essência do que o está preocupando e então começar a imaginar possíveis soluções ou cenários alternativos. Mais ainda, se você permitir que a sua mente fique vagando, estranhos pensamentos podem vir à superfície (anote-os), bem como lembranças de lugares, sem nenhuma razão aparente.

Continue a registrar a sua experiência do agora. Defina de alguma maneira livre todas as sensações dos seus sentidos e abandone as regras. Vá onde quer que a sua mente deseje. Siga qualquer fluxo de consciência que quiser. Permita que ela vá aonde quiser e depois siga a sua própria direção até descobrir outro fluxo. Siga quaisquer vozes que apareçam e sempre se lembre de que você está no comando. Discuta com essas vozes se quiser; dialogue com o mundo. Tente manter a mão em movimento o tempo inteiro. Não pare para pensar; pense no papel.

2. Se você gostou desse exercício de fluxo de consciência, pode querer fazer uma versão curta dele toda manhã ou em algum outro momento do dia. Tente fazê-lo com freqüência. Eu simplesmente pego o meu diário enquanto ainda estou na cama, tomando o meu café, e sigo o meu fluxo de consciência. Não consigo muito com isso, mas é um modo divertido de acordar e limpar a mente, bem como de ver em que posso me concentrar (ou não me concentrar) construtivamente no decorrer do dia. Essa prática é também benéfica para aprender a visitar outro domínio ou nível de consciência quando se escreve.

3. Outra prática que faço quando escrevo tem o nome de "Pensamentos Dispersos". Dando esse título à minha prática, registro pensamentos e idéias que tenho, que não precisam estar vinculados com nada especial. Em geral, pego um tema e fico filosofando ao acaso sobre ele. Escolha um assunto e pense e filosofe ao acaso. Essa é uma boa maneira de descobrir idéias que ajudam um projeto de escrita ou outra atividade criativa.

Criativo por engano

O mesmo solo em que você cai pode ser usado como um apoio para ajudá-lo a se levantar outra vez, se você aprender com as suas experiências.

Paramahansa Yogananda

Já lhe permitiram cometer erros na vida? Você se permite cometer erros? Muitas descobertas criativas surpreendentes ocorreram por meio de erros. O que é de fato um erro? O dicionário diz que é algo feito de modo incorreto ou uma idéia ou opinião incorreta. Bem, quem vai decidir o que é incorreto ou errado numa idéia ou opinião? Se não houver acasos, não haverá erros. Seja menos duro consigo mesmo quando sentir que entendeu algo erroneamente. Uma maneira de fugir disso é ter cuidado, cuidado e não descuido. Ter cuidado significa pedir para que os anjos e a sua orientação interior lhe dêem uma direção. É também estar ciente do presente e daquilo que ele exige, para que você aja da melhor maneira.

Para exprimir as nossas verdades, há ocasiões em que precisamos correr riscos e mergulhar no desconhecido. Às vezes o desconhecido é desagradável e parece um grande engano. Os anjos irão ajudá-lo a correr riscos, e a situação não parecerá tão arriscada se você souber que os anjos estão com você e que tudo dará certo. No que se refere a arriscar, o que nos cria maiores problemas são as nossas expectativas. De modo geral, entramos no desconhecido com expectativas; mas como podemos alimentá-las com relação ao que não conhecemos? "Pare de ter expectativas e você obterá o que quer" é um ditado verdadeiro aqui. Você sempre irá obter e aprender, e não precisa pôr limitações a nada com a expectativa de aprender algo ou de conseguir um certo resultado. Da próxima vez que você pensar que cometeu um erro, capte o modo de ver do seu anjo e procure a criatividade que houver no erro.

Críticos: a gestapo da expressão criativa

A lealdade a uma opinião petrificada até agora não rompeu uma corrente nem libertou uma alma humana.
Mark Twain

O crítico interior pode assemelhar-se a uma pessoa real ou a uma voz que lhe fala na mente, dando opiniões e descobrindo falhas — imperfeições — na sua personalidade e na sua expressão criativa. Acho estranho que existam críticos até no mundo exterior, especialmente críticos de cinema e de arte, porque as críticas que fazem baseiam-se simplesmente em suas próprias opiniões; e por que o resto de nós haveria de se apegar a opiniões alheias? Muitas vezes vejo um filme que recebeu críticas ruins e o adoro. Também acho estranho quando críticos nos dizem o que teriam feito de diferente com uma determinada forma de arte. Os críticos costumam ser aqueles que não criam, mas gostariam de poder criar, e têm a coragem de pensar que fariam melhor. A questão é que os críticos estão simplesmente dando a sua opinião, e as outras pessoas estão ouvindo e seguindo essa opinião.

O verdadeiro perigo vem quando os nossos críticos pessoais dão a sua opinião na nossa mente. Nós seguimos essas opiniões e bloqueamos a nossa auto-expressão. Consciência é igual a escolha, e escolha equivale a mudança. Assim, o ponto principal desse auto-exame é apenas alcançar consciência.

Quem são os seus críticos?

1. Às vezes temos os nossos próprios críticos pessoais no mundo exterior, presentes na forma de namorados, namoradas, pais ou mesmo pessoas estranhas que simplesmente estão em algum lugar do mundo desaprovando o nosso estilo de vida. Essas pessoas podem nem saber que as consideramos assim, mas toda vez que fazemos algo criativo, somos tomados por pensamentos pessoais como "Não, é melhor não dizer ou fazer isso — fulano não iria gostar" ou "Isso pode não parecer o bastante inteligente; as pessoas vão pensar que sou estúpido". Faça uma lista dos seus críticos pessoais, caso você os tenha. Faça a si mesmo algumas perguntas sobre eles:

- Há algo que você gostaria de dizer a esses críticos?
- Há algo que você está tentando provar a eles?
- Quando você os percebeu pela primeira vez em sua consciência?
- Você se compara com eles ou eles comparam você com outras pessoas em sua mente? Se sim, como e com quem você é comparado?
- O que esses críticos de fato representam em sua vida?
- Você poderia ser um crítico de uma outra pessoa? Se responder sim, explique de quem e por quê.
- O que é um crítico?
- Você pode evitar esses críticos ou eliminá-los completamente da consciência? Se não puder, tem condições de descobrir uma maneira de transmutar a sua influência negativa?

2. Escreva a respeito dos seus sentimentos gerais sobre esse assunto. Diga aos anjos tudo sobre os críticos que vivem na sua mente. Se você sente que nunca teve um espaço livre para se expressar, essa prática pode ser muito importante para o crescimento espiritual e pessoal.

3. Às vezes somos tão afetados pelos nossos críticos que eles passam a habitar o nosso corpo. Eles podem lembrar-nos de que estão presentes na forma de um torcicolo, uma úlcera, uma dor de cabeça ou uma sensação de fadiga. Comece a pensar nesses críticos como uma ficção e permita que eles partam pacificamente. Escreva uma ordem de despejo para eles. Faça o que puder para expulsá-los do seu corpo.

4. Os anjos podem ajudá-lo com esses críticos. Você pode pedir a eles que o ajudem a criar uma fronteira de luz ao seu redor que a voz

crítica não possa cruzar. Se tiver críticos humanos, você pode pedir aos anjos para falar com os anjos desses críticos e para dar-lhes algo de que gostar em vez de criticar. Você pode pedir aos anjos que lhe dêem uma percepção mais profunda do que de fato acontece com esses críticos, e os anjos também lhe permitirão ter um pouco de diversão com eles.

5. Ouça os seus chefes de torcida angélicos. Eles estão sempre torcendo por você e, se você sintonizar-se com eles, receberá uma mensagem positiva sobre quanto você é maravilhosamente criativo e importante! O próximo exercício também vai ajudá-lo a eliminar os críticos da sua mente e do seu corpo.

Dê a si mesmo uma mente do tipo "não sei"

Muitas vezes na nossa vida fantasiamos sobre o que as pessoas estão pensando, fazendo e dizendo quando não estamos por perto. É comum que comecemos a confundir as nossas fantasias e pensemos conhecer a verdade sobre o que está de fato acontecendo. Então, se não gostamos das nossas fantasias, quase chegamos à loucura tentando controlar as percepções, os pensamentos e as ações do mundo circundante quando não estamos presentes. (O que, a propósito, é impossível.) A melhor maneira de se livrar dessa confusão é concentrar-se mais no momento. Na verdade, apenas "conhecemos" o momento, e às vezes, no momento, viajamos para o futuro ou para o passado e nos preocupamos sobre como controlar fatos que já aconteceram ou que ainda estão por vir.

A mente do tipo "não sei"

1. Pense em algo que o esteja incomodando e renda-se ao momento por meio da aceitação de que você "não sabe" (e provavelmente não quer saber). Comece a dizer a si mesmo durante o dia: "Eu não sei, eu não sei." Permita que uma sensação de paz assuma o comando cada vez que você disser ou pensar "Eu não sei". Diga aos anjos: "Anjos, eu simplesmente não sei." Os anjos sabem. Deixe que eles o guiem para o verdadeiro saber. O verdadeiro saber não envolve muitas informações. A mente do tipo "não sei" tem como modelo uma prática zen que permite que a nossa natureza original, ou mente original, exista e floresça.

2. Complete as frases:

- Eu não sei...
- Eu não sei...
- Os anjos sabem...

A mente do tipo "não sei" irá libertá-lo para perceber que tudo o que você tem é o momento, e que o resto você simplesmente "não sabe". Como de fato não sabemos, podemos até ter uma experiência positiva daquilo que não sabemos. A escolha é nossa.

Qual é o problema?

Quando estamos enfrentando um problema, beneficiamo-nos primeiro, é claro, se pedimos aos anjos que nos ajudem a aceitar de modo pleno a nós mesmos e à nossa situação. Em seguida, podemos examinar aquilo que rotulamos de problemas. O que exatamente *é* um "problema"? Por que lutamos e ficamos frustrados quando um deles entra em nossa vida? Basicamente, gosto de desafios e por isso pergunto a mim mesma: "Por que não me divirto com esse problema?" Bem, a razão é que me apego ao problema e depois fico com medo de que ele venha a ter alguma espécie de efeito negativo sobre a minha vida. Quando examino os meus padrões de vida, em especial depois que os anjos foram introduzidos nela, vejo que tudo dá certo, que sempre resolvo os problemas e que obtenho sabedoria a partir deles. Assim, não tenho real necessidade de temer os problemas. Na verdade, estou trabalhando para acolhê-los como simples exercícios do viver, como um mero problema de matemática num caderno infantil. Estou perdoando a mim mesma por resistir, visto ser isso parte da condição humana.

Problemas

1. Faça uma relação de problemas. Simplesmente relacione os seus problemas e conflitos. Não acrescente soluções agora nem outros pensamentos. Espere uns dias, semanas ou meses. Então, volte e examine os problemas da lista. Acrescente quaisquer informações pertinentes, tais como de que modo esses problemas foram resolvidos ou se ainda continuam sem solução. Se houver problemas que você gostaria que os anjos levassem de volta às instalações universais de reciclagem, declare-os,

por escrito, "propriedade do universo". Date a lista de problemas para que você possa fazer acréscimos outras vezes.

2. Outra atitude simples a tomar quando se tem um problema é dizer para si mesmo "Isto não é um problema" ou "Isto não é meu problema", sempre que o pensamento ou problema surgir na sua mente enquanto você estiver acordado. Afirme com os anjos que não existe um problema. Inclua o problema na relação e escreva, depois dele: "Isto não é um problema."

Mantenha o senso de humor

Às vezes penso que o meu senso de humor tem a sua própria mente. Quando me sinto aborrecida com o mundo, termino resistindo aos seus impulsos de relaxar e de me divertir no momento. Descobri que o processo a seguir é útil para superar a tendência à depressão. Eu pergunto ao meu senso de humor: "O que há de tão engraçado nisto?" Então espero uma resposta. Em geral, o simples fato de parar e pensar sobre o humor pode mudar uma situação para melhor (e torná-la mais alegre).

O que há de tão engraçado?

1. Discuta com o seu senso de humor sobre por que algo é tão sério e não deve ser levado na brincadeira, e por que tem de causar dor. Espero que isso leve você a rir.

2. Outra maneira de fazer isso é discutir com o anjo da guarda sobre a razão de algo ser tão sério e terrível. Tenha com o seu anjo da guarda um diálogo sobre os méritos de levar tudo a sério (lembre-se: não há mérito nenhum) e divirta-se com isso. Se quiser dar boas risadas no futuro, escreva o seu diálogo para voltar a lê-lo.

Relacione-se com a sua sombra

Em *Os Anjos — Guardiães da Esperança*, dei a um dos capítulos o título "A Integração da Sombra". Todos nós temos um lado sombrio — a sombra provocada pela luz. Como definição não rigorosa, poderíamos dizer que o lado sombrio da nossa personalidade é o lado que muitas vezes queremos esconder do mundo.

Não tenha medo do escuro

1. Reflita sobre a sua sombra. Num mundo de luz, sempre há sombras, mas a mínima mudança de posição lança luz sobre o lugar que a sombra estava cobrindo. Você pode querer desenhar a sua sombra e relacionar tudo o que se oculta nela. Você pode não saber nada sobre a sua sombra. Use isso como um exercício de descoberta. Sem conhecimentos preconcebidos, use a sua imaginação e finja saber tudo sobre a sua sombra; escreva sobre isso.

2. Uma idéia-chave a lembrar, ao examinar a sua sombra, é a de que os anjos são luz e vão ajudá-lo a iluminar os cantos escuros da sua mente. Eles lhe permitirão vê-los com a luz deles — uma luz que nada tem de séria.

Descubra o otimismo

Ter preocupações demais pode ser muito desgastante. Se há preocupações em sua vida, há também soluções criativas e resultados positivos em que ter fé. Se você estiver muito preocupado, pode ser que esteja esperando um resultado negativo, ou tentando controlar uma situação sobre a qual na verdade não tem controle. Lembre-se de que só temos de fato controle sobre as nossas próprias reações e respostas à vida, e que por vezes podemos sentir que elas antes nos controlam do que o contrário. Se tem preocupações, reserve tempo para tratar delas e transforme-as num fator de orientação para confiar na bondade e na ordem do universo. Os anjos podem ajudá-lo a conseguir a fé e a confiança para transformar todas as preocupações em pensamento criativo, em favor da promoção do otimismo.

Não se preocupe — pense criativamente!

1. Uma maneira fácil de transformar a preocupação é transmutá-la em "pensamento criativo que incentive a solução de problemas" e dar a si mesmo um tempo limitado para fazer isso. Pegue o seu diário e comece a se preocupar. Quero dizer, pense criativamente sobre os seus problemas. Escreva o que quiser acerca de suas atuais preocupações até sentir que cobriu suficientemente o assunto. Mantenha uma sensação de desapego no ar. Se for difícil, peça a ajuda dos anjos.

2. Depois de ter terminado a sua "preocupação", diga a si mesmo que não pode pensar nessas preocupações nas próximas vinte e quatro horas. Então, passadas vinte e quatro horas, releia as suas preocupações e anote as idéias que tiver a respeito delas, preocupando-se mais um pouco se isso for necessário. Se descobrir que durante o dia você simplesmente não pode parar de se preocupar, volte a essa página e escreva sobre isso. Comece a procurar as ansiedades profundas e temores vitais que espreitam no interior de suas preocupações. Observe quaisquer padrões ou repetições.

"Nada mau"

Ouço a palavra "mau" ser usada com demasiada freqüência. Eu a uso de vez em quando. Trata-se de uma palavra contra a qual gosto de lutar. Creio que ela é usada como uma lata de lixo quando outras palavras poderiam descrever o que queremos dizer de maneira mais clara e descritiva, ajudando a nos afastar do compromisso negativo que assumimos quando decidimos que algo é "mau". Os julgamentos e os rótulos também promovem a polarização, o que tende a confundir as questões para nós, seres humanos, porque não há na verdade questões definidas. Podemos começar a nos relacionar com rótulos e julgamentos de modo construtivo percebendo padrões que podemos querer modificar e pedindo aos anjos assistência e percepção. A percepção nos permite fazer a escolha de mudar.

"Má" companhia

1. Faça uma relação de fatos "ruins" em sua vida ou que você vê no mundo. Vá em frente e escolha uma nova palavra em vez de *mau* (ou *ruim*). Por exemplo, alguns sinônimos de mau são: desagradável, doloroso, sério, amaldiçoado, severo, vil, errado, abandonado, vicioso, repugnante, falso, terrível e estragado. Ou então descubra novas palavras que não sejam necessariamente sinônimos de "mau" (ou "ruim").

2. Agora descreva a sua experiência ou percepção para cada fato "mau" da sua relação e então explique como ele o afeta pessoalmente. Se algum aspecto positivo puder resultar desse fato ruim, registre-o. Há maneiras de descrever fatos maus que podem acabar com a sua ruindade intrínseca. Como os anjos descreveriam esses fatos? Use este exercício

como um instrumento de expansão, ampliando a sua percepção sobre as questões, para que você não fique tão intimamente apegado a nenhum fato "mau".

O sofrimento não é uma virtude!

Na história da espiritualidade humana há muitos casos de pessoas sofrendo como uma maneira de conhecer a Deus. Não estou falando do sofrimento normal, cotidiano. Historicamente, essas pessoas suportaram grandes sofrimentos, e isso de fato as aproximou de Deus. Bem, isso foi antes, e estamos no agora. Os tempos mudaram e já não é preciso sofrer para conhecer a Deus e obter a sua generosidade. Claro que temos escolha e podemos sofrer se quisermos. Descobri, contudo, que a alegria, a felicidade e o riso me aproximam mais de Deus. Se você também descobrir que a alegria o aproxima mais de Deus do que o sofrimento, você provavelmente estará interessado em encontrar novas maneiras de transmutar o sofrimento em sua vida e de promover a alegria. Há também um segredo que temos dificuldade de apreender: podemos estar contentes e ao mesmo tempo padecendo dores. Quero dizer que nos momentos em que há dor em nossa vida (física ou mental) não temos de nos comprometer com uma espiral descendente de sofrimento ou pensar que não podemos rir num minuto e chorar no outro.

É permitido aos seres humanos ter mais de uma sensação ao mesmo tempo e mudar as percepções de uma situação sempre que quiser. Não temos de ficar de mau humor por um certo período de tempo ou esperar até que algo apareça por magia e mude tudo. Também não precisamos nos punir se tivermos cometido um "erro" ou se tiver acontecido em nossa vida algo que nos enviou temporariamente numa direção que parecia afastar-nos de Deus. Podemos mudar qualquer acontecimento quando abandonamos o nosso modo unilateral de pensar e de rotular. Tudo é uma questão de estar livre no momento.

Sofrer é relativo

1. Examine os seus sofrimentos e infelicidade respondendo às seguintes perguntas:

- O que faz você sofrer?
- Como os anjos podem ajudar?
- O que você espera do seu sofrimento?

2. Analise a idéia de que transmutar e modificar o impacto negativo de um estado de sofrimento consiste em ficar tão familiarizado com ele que ele deixe de ser um problema. Você pode transcender com facilidade algo que lhe traz sofrimento uma vez que o compreenda e reconheça — em vez de negar que ele existe. Isso se aplica a todo aspecto da sua personalidade que você julgue ter de alterar ou remover. Comece a viver com ele e compreenda de modo pleno a razão por que ele existe; agindo assim, essa característica irá se transformar num adorno que acrescentará caráter à sua personalidade. Escreva sobre isso.

Livre para buscar

Os espíritos livres promovem a melhoria da humanidade da maneira mais vívida; os espíritos alquebrados entorpecem a humanidade. Paz e espiritualidade não equivalem a tédio. Abandonar o ego não significa perder a personalidade. Domar não tem de significar quebrar ou danificar. O seu espírito foi danificado de alguma maneira? As suas asas ficaram presas num galho ou, pior ainda, foram aparadas? Pouco importa como você esteja em termos físicos; a sua mente sempre está livre para buscar.

Espírito livre

1. Escreva sobre o seu espírito. Ele foi domado delicadamente ou subjugado e posto em confinamento? O que você pode fazer para permitir que ele alcance as alturas sem fugir do controle?

2. Peça aos seus anjos que o ajudem com esse tópico; isso é importante. Os anjos querem que você seja um espírito livre que os ajude a promover o amor e a beleza na Terra.

Nossos piores temores

Às vezes os nossos piores temores se realizam, mas sei de uma verdade: só acontecem quando somos capazes de lidar com eles. Quando predestinamos um medo e lhe damos poder antes de ele acontecer, sofremos muitas vezes mais do que se nos entregássemos e permitíssemos que os nossos recursos interiores nos ajudassem a enfrentar a vida, a crescer e a ir em frente. Quando confiamos e mantemos a situação sem maiores preocupações, somos protegidos e nunca estamos sozinhos. Criamos isolamento quando nos apegamos a pensamentos do passado ou do futuro. Podemos ter em mente que o nosso corpo por vezes tem dificuldade em saber o que é imaginário e o que é real. Em outras palavras, o medo de um acontecimento futuro representa estresse para o corpo agora. O exercício a seguir pode ajudá-lo a transformar os seus temores.

Domesticando o medo

1. Escreva uma história sobre os seus piores temores. Permita-se total liberdade e coragem para mergulhar profundamente naquilo que você mais teme. Conceda a si mesmo permissão para ser mórbido ou ultrajante (pense em Stephen King!). Peça aos anjos que o protejam e afirme que você está escrevendo sobre o medo para ajudar a transcendê-lo e transmutá-lo. Em outras palavras, você não está se deixando dirigir pelos seus temores, porque sabe que o medo pode obscurecer a sua visão criativa e impedi-lo de criar novos caminhos de luz para que outros sigam.
2. Agora reescreva a história. Divirta-se e dê-lhe um final feliz. Você pode escrever, se quiser, na terceira pessoa, ou, se não tiver um enredo sobre os seus piores temores, pode inventar um ou escrever sobre um que o afligiu no passado para perceber o que você pode estar negando. Não faça este exercício a menos que queira libertar-se do medo e romper com velhas crenças ou derrubar antigas barreiras, gerando assim novos pensamentos e percepções. Era uma vez...

Ambição, prosperidade e manipulação

Para alcançar a grandeza, você tem de estar disposto a desistir da ambição.

Carol Osborn, *Spiritual Principles of Life-Driven Business*

Prosperar significa florescer com sucesso. *Ambição* significa um intenso ou desordenado desejo de honra, de superioridade, de poder ou de realização, e *ambicioso* significa fortemente desejoso. *Manipulação* significa controlar alguma ação, agir ardilosa ou fraudulentamente ou adaptar algo a fim de alcançar um propósito.

Para florescer com sucesso, prosperar ou crescer bem, precisamos ter clareza e intenções puras. Como podemos ter clareza e intenções puras se estivermos desejando algo intensamente (se formos ambiciosos)? Estamos em condições de permitir que a vida simplesmente siga em frente, aceitando-nos a nós mesmos e aos outros, se estamos constantemente tentando adaptar situações para alcançar os nossos próprios propósitos (manipulando)? Não creio. Em nossa sociedade, ensinam-nos desde cedo como manipular o nosso mundo para obter o que queremos. Isso parece um impulso natural. Quando somos jovens, em geral descobrimos meios de manipular o mundo que nos cerca. Até consideramos uma esperteza (e em geral é) quando criancinhas nos pedem algo e fazem acordos para ganhar um doce ou um brinquedo. É possível que muitos de nós tenham sido positivamente fortalecidos, em algum ponto do seu desenvolvimento, por manipular o mundo e as pessoas que há nele.

Depois ouvimos falar sobre os méritos da ambição. Disseram-nos: "Se quiser chegar a algum lugar, é melhor você ser ambicioso" — o que significa que é melhor querer intensamente o poder e a autoridade. O que há de errado com isso em termos espirituais?

Quando manipulamos, criamos problemas e inquietação para nós e para os que nos cercam. Manipular é como dizer: "seja feita a minha vontade" a qualquer preço. Se perturbarmos o equilíbrio ou o fluxo da vida, ele será restaurado de uma maneira ou de outra. Por isso, examine a sua vida e pergunte se está tentando manipular algo, alguém ou algum momento. Desista disso. Espreitando no cerne da manipulação estão o desespero e o desânimo. Se algo em sua vida o está deixando desesperado, examine-o para encontrar indícios de manipulação. A manipulação e a ambição são obstáculos no caminho da prosperidade angélica.

A verdadeira prosperidade é o resultado da paz mental na vida cotidiana. Será possível estar em paz e obcecado em fazer os fatos acontecerem? Provavelmente não. Quando estamos em paz, não nos vem o desejo de controlar outras pessoas ou situações. Uma pessoa pacífica, feliz e equilibrada atrai abundância sem depender de situações exteriores envolvendo pessoas ou coisas. A paz mental é o ingrediente mágico que nos ajuda a florescer com sucesso.

Quando discutimos a prosperidade, vem naturalmente a questão do dinheiro. Por mais ou menos que o tenhamos, o dinheiro sempre está presente na vida da maioria de nós. Tudo o que podemos fazer é o melhor possível a cada momento. Podemos fazer o que manda o nosso coração e nunca nos culpar por nenhuma falta em nossa vida. Tudo é temporário, mutável, cheio de altos e baixos e de idas e vindas. Mantenha-se fiel ao seu coração. Os anjos querem que você conserve vivos o amor, a esperança, a alegria e o riso. Eles pedem isso a você porque é muito importante agora ter esperança e viver o momento. Não se atormente com questões de dívidas e de dinheiro.

Ação equilibrada

1. Para parar de manipular e para alcançar maior felicidade, não se deixe "guiar" pelos seus objetivos. Esteja plenamente presente em cada momento, para não precisar "tentar conseguir". Tentar significa não fazer, e por isso ser é a meta, o que ocorre quando estamos em paz com o momento.

2. Se você quer intensamente algo, procure descobrir a sua real motivação. O que você espera conseguir quando alcançar aquilo que tanto quer? Às vezes nem sequer sabemos o que de fato nos motiva. Pense em maneiras pelas quais você pode desistir dos seus desejos a fim de conseguir o que quer.

Observações finais do Capítulo 3

Maria, Rainha dos Anjos, transmitiu esta mensagem aos visionários de Medjugore: Se quiserem ter uma vida muito feliz, levem uma vida simples, humilde, rezem muito e não se preocupem nem se aflijam com os seus problemas — deixem que eles sejam resolvidos por Deus. Não pensem em guerras, castigos, nem no mal, Quando vocês se concentram nessas coisas é que estão prestes a entrar nelas. A sua responsabilidade é aceitar a paz divina, vivê-la.

Padre Guy Girard, Padre Armand Girard
e Padre Janko Bubalo, *Mary, Queen of Peace, Stay With Us*

Antes de terminar este capítulo, tenho algumas idéias finais para compartilhar: concentre-se menos em si mesmo e muito mais no momento. Acostume-se à prática de evitar aborrecer-se por causa do excesso de análises ou do excesso de pensamentos sobre si mesmo. Não se deixe prender na lama dos rótulos e julgamentos. Tenha uma vida espiritual. Use com sabedoria a sua energia criativa inata.

Comece a libertar-se da idéia de que a vida deve ser livre de "luta". *Luta* é definida no dicionário como "fazer um esforço vigoroso sob a pressão das dificuldades; um teste difícil; vencer um oponente ou problema". Você provavelmente já ouviu a afirmação "A vida sempre inventa *alguma coisa*". "Alguma coisa" significa um novo problema ou oponente a enfrentar. Bem, infelizmente isso é verdade. Por mais iluminados que fiquemos, por mais sábios que nos tornemos, a verdade é que sempre há "algo" que temos de superar ou enfrentar. A vida é ensinamento e, com o ensinamento, vêm lições, práticas, pesquisas e estudos. Se sabemos que sempre haverá algo acerca de que aprender e de que tratar com relação à nossa existência humana neste planeta, para que lutar com vistas a se livrar das lutas quando elas acontecerão de qualquer maneira? Em outras palavras, por que gastar energia "tentando" viver sem problemas quando os "problemas" são parte constante da nossa experiência terrena? Eis o segredo: podemos mudar aquilo que sabemos que temos o poder de mudar, e aquilo que temos o poder de mudar é a nossa percepção e atitude com relação aos fatos.

Quando nos concentramos na eliminação dos nossos problemas (como dívidas, problemas de relacionamento, questões básicas de sobrevivência), começamos a nos identificar com eles. Você não é as suas dívidas; você não é os seus problemas. Você é você. Quando pensamos o tempo todo em nossas dificuldades e começamos a nos identificar com elas, fazemos a nós mesmos uma grande injustiça. Outra situação que resulta do excessivo gasto de energia na tentativa de eliminar as nossas lutas é que passamos a viver no futuro: "Tudo estará bem assim que eu conseguir aquele cheque"; "Tudo dará certo quando eu encontrar o meu verdadeiro amor". Bem, tudo está ótimo agora. Quando usamos a maior parte da nossa energia para manter o compromisso de viver no presente, na plena aceitação de nós mesmos e do lugar que ocupamos agora no universo, o milagre da felicidade sem motivo tem a oportunidade de se revelar.

Descobri que a minha vida corre mais facilmente quando aceito a idéia de que a vida tem as suas lutas e quando acolho os problemas como oportunidades de aprender mais sobre como viver num estado de espírito positivo. Nessas ocasiões, quando me canso dos meus maravilhosos problemas, passo-os para os anjos. Os anjos não se incomodam. Eu também imagino que aparência esses "problemas" têm para os anjos, já que eles possivelmente não os podem levar a sério. Quando eles me dão um vislumbre de sua percepção, eu tenho de rir, porque é tudo muito divertido e ridículo!

Capítulo 4

Expressionismo Angélico

Para alguém que alcançou na evolução o ponto em que compreende que este precioso nascimento é uma oportunidade de despertar, uma chance de conhecer e talvez de ser Deus, toda a vida se torna um instrumento para consegui-lo: o casamento, a família, o trabalho, o lazer, as viagens — tudo.
Ram Dass, *Grist for the Mill*

O expressionismo é um estilo literário, pictórico, teatral ou musical que busca revelar a experiência emocional do artista ou escritor em vez de representar realisticamente o mundo físico. O expressionismo angélico procura mostrar a experiência espiritual da vida diária em cores angélicas. A imaginação é o lugar em que encontramos e alimentamos a nossa alma. Há na sua alma um artista espiritual esperando para expressar a beleza e a profundidade da condição humana. O seu anjo da guarda conhece bem esse artista e quer ajudar a fazê-lo manifestar-se, para que você o conheça bem. Os anjos querem que toda a sua vida, a sua vida cotidiana, seja uma prática da arte de ser criativo e feliz. O expressionismo angélico encorajará isso.

Uma dádiva que os anjos trouxeram para a minha vida foi a percepção de que a espiritualidade está nas coisas corriqueiras. Não se trata de algo que precise nos afastar de nós mesmos, da nossa personalidade ou do nosso dia-a-dia. Podemos ser exatamente quem somos ao vir para esta vida e compreender a espiritualidade que existe em nosso próprio quintal. Se nascemos numa dada religião, podemos aproveitar o que ela tem a oferecer, acompanhados dos anjos, de modo mais profundo. Com muita freqüência isso vai antes enriquecer de sentido a nossa vida do que nos fazer afastar do conhecido. Em vez de nos tornarmos ascetas, podemos nos tornar estetas e aumentar as belas qualidades agradáveis da nossa vida para ter uma experiência mais profunda do divino. Temos muitas escolhas espiritualmente criativas para fazer com os anjos na nossa vida. Quando exprimimos quem somos na vida diária, estamos a caminho da criação de um autêntico viver.

É comum que nós, seres humanos, pareçamos querer que a experiência espiritual seja sobrenatural, que nos leve a outras esferas; contudo, estamos aqui na Terra neste momento com um propósito específico (divertir-nos), e é importante que vivenciemos em sua plenitude o aqui-e-agora, os atos cotidianos de lavar a louça, ajudar a nossa comunidade e gostar dos nossos trabalhos. Considero uma divertida ironia o fato de que, quando os anjos, que passam o seu tempo em outra esfera, entraram na minha vida, eu tenha percebido pela primeira vez a real importância do estar plenamente na esfera terrena como ser espiritual que passa por uma experiência humana.

Para começar, vou ajudá-lo a superar de uma vez por todas quaisquer dúvidas que possa haver quanto ao fato de ser correto, ou não, ser e admitir que se é criativo. Estou tomando uma licença criativa para oferecer a você uma verdadeira licença, conferida pelo seu anjo da guarda, sancionada pelo Criador e testemunhada por mim. A sua própria licença criativa!

Auto-expressão total

Somos a um só tempo seres terrenos, com os pés na Terra, e seres de inspiração, de imaginação, seres de leveza. Somos ambos. Este é o nosso gênio, e ninguém pode nos convencer a nos afastar dele.

M. C. Richards

Eu gostaria de partilhar algumas idéias que tenho sobre o que é a nossa alma. A alma é a nossa matriz criativa dada por Deus. Ela não precisa de palavras para compreender o sentido e está em constante contato com Deus e com os anjos. Ela responde à ressonância harmoniosa e à beleza. A imaginação é o vínculo direto com a nossa alma, bem como com a esfera angélica. Nunca acredite que a imaginação não é importante ou que é uma fantasia; ela é a nossa característica humana mais importante. Quando usada de modo positivo, ela nos leva à grandeza. Por meio da nossa imaginação, alimentamos a alma, e esta, por sua vez, alimenta-nos com impulsos criativos para seguirmos.

Licença Criativa Oficial

________________________ tem plena permissão para ser criativo e espontâneo, bem como livre da maneira que escolher.

Esta licença nunca expira — ela apenas *inspira* sempre.

As críticas e as influências negativas estão proibidas por lei de acompanhar você.

Se tentarem, estarão sujeitas à pena máxima.

Todos os direitos são garantidos pela lei divina e protegidos pelos seus anjos.

Assinado: ________________________

Data: ________________________

Testemunha: ________________________

Será o corpo realmente importante se terminamos descartando-o um dia? O nosso corpo é um templo para a luz de Deus e, por certo, é muito importante. Ele exprime o nosso eu atual. O corpo é surpreendente porque pode mudar, curar-se e surpreender ao fazer o inesperado tal como o definem as regras fixas do mundo científico. A nossa mente é o nosso corpo. Não há separação. Há conversas que ocorrem por todo o nosso corpo vindas de uma fonte principal — a mente. A comunicação pode ficar um pouco confusa quando estamos com problemas ou permitimos a nossa separação do nosso eu divino. Independentemente da idade, da forma ou da condição, o nosso corpo é um estimulante instrumento de Deus.

A nossa mente é o nosso espírito. Assim, se mantivermos a mente livre de inutilidades, o nosso espírito também será livre. Uma maneira de manter a mente limpa e feliz é expressar todo o nosso eu — corpo, mente, espírito e alma. Descubra um modo positivo de expressar todo o seu eu e você terá uma vida espiritual plena e repleta de recompensas.

Auto-expressão

1. Como você usa o seu corpo para se expressar? Como poderiam os anjos ajudá-lo a ir mais adiante nisso? Pense com a sua imaginação, com a sua alma e com o seu espírito e faça essas mesmas perguntas.

2. Pense sobre como você se expressa através de sua escolha de música, de cores, de estilos, de livros e de amigos, bem como por meio do conhecimento dos anjos. Faça o seguinte:

- Faça uma relação dos modos pelos quais você se expressa atualmente.
- Faça uma relação dos modos pelos quais você se expressava na infância.
- Faça uma relação dos modos pelos quais você se expressava como jovem adulto ou adolescente.
- Faça uma relação dos modos pelos quais você gostaria de se expressar.
- Faça uma relação das suas qualidades mas que nem sempre usa.

3. Pense sobre a sua vida atual e relacione situações, acontecimentos e tudo aquilo que você acha que a tornaria mais fácil e mais criativa. Por exemplo: "Quando eu me mudar, terei mais tempo para criar." Ou

"Quando eu tiver mais dinheiro..." Depois disso, faça uma relação das coisas que fazem a sua vida andar melhor agora.

4. Faça uma relação de maneiras de conseguir mais tempo para ser criativo. Talvez você passe mais tempo do que precisa falando ao telefone, vendo televisão, etc. Pense em como você passa os seus dias e é provável que encontre algum tempo extra para acrescentar mais criatividade à sua vida. Continue adicionando itens a essa relação. Quando identificar um padrão, faça um registro sobre isso.

5. Falei de corpo, espírito e alma, usando mente como espírito. Muitas vezes corpo, mente e espírito são representados por um triângulo. Pense em seu próprio triângulo, ou trindade — um grupo de três — da maneira que quiser. A Santíssima Trindade é Pai, Filho e Espírito Santo. A Trindade forma uma Divindade. Pense nas trindades da sua vida que formam um único você. Brinque com um triângulo e vá acrescentando coisas a ele. Peça aos anjos que lhe dêem inspiração.

6. Como podem os anjos ajudá-lo a expressar o seu verdadeiro eu?

Humores e emoções

Quando os nossos sentimentos são violentos ou raivosos, podemos transformá-los em arte vigorosa em vez de manifestá-los no mundo. Tal arte nos ajuda a aceitar esse nosso aspecto. A auto-aceitação equivale à compaixão pelos outros.

Natalie Rogers, *The Creative Connection: Expressive Arts as Healing*

Um humor é um estado temporário mental ou de espírito. A palavra *humor* também é usada para descrever o sentimento ou estilo veiculado por uma obra literária ou artística. Os humores não têm de ser levados a sério, mas podem ser um bom combustível para a criatividade. Se você estiver de bom humor, é bem provável que queira expressar alegria. Se encontrar-se de "mau" humor, não há razão para não extravasá-lo de modo artístico. Talvez você esteja se sentindo a pior das criaturas. Talvez esteja com raiva, com pesar, com tristeza ou com alguma outra sensação desagradável. Use a energia de um momento de raiva ou de tristeza num empreendimento criativo. Não tente analisar a sua tristeza ou sentir-se culpado por estar com raiva. Apenas encontre a energia e crie alguma coisa. Pegue o seu diário e escreva. Escreva uma história sobre alguém que estava muito triste ou com raiva ou simplesmente escreva sobre os seus sentimentos — todos eles.

Quando eu estudava interpretação artística, tinha dificuldade de entender o que eram as emoções. Sempre tinha medo de não *ter* emoções. Como podia esperar ser uma atriz se não tivesse emoções? Hoje percebo que seria impossível ser humana sem elas. E embora possam ser incômodas às vezes, elas estão sempre presentes à espera de que as demonstremos ou lidemos com elas. Emoção é sentimento; é uma energia que se movimenta dentro de nós. A presença do medo e da raiva pode por vezes impedir que a nossa energia emocional siga o seu curso. A expressão criativa pode ajudar a desobstruir o caminho, permitindo-nos lidar de modo construtivo com o medo e a raiva. Ela oferece uma maneira perfeita para que *cresçamos* por meio do nosso medo ou raiva, em vez de simplesmente *passar* por um período doloroso ou depressivo.

Você pode se divertir muito assumindo uma atitude dramática com os seus humores e emoções. Não procure desculpas para os seus estados de espírito. Faça arte, faça-a de modo simples com alguns lápis de cera ou compre tintas e uma tela. Também pode ser útil ouvir alguma música que combine com o seu estado de espírito. Quase todas as idéias que sugiro neste livro têm relação com qualidades mais leves, qualidades que os anjos encorajam; contudo, creio que seria ridículo e tedioso imaginar que vamos nos sentir animados, abençoados e felizes o tempo todo. Basicamente, os anjos podem ajudá-lo melhor quando você é real e honestamente você mesmo. Os anjos são os nossos auxiliares espirituais e estão prontos a nos ajudar nos momentos difíceis. Os efeitos negativos que vêm de um estado negativo são produzidos porque não exprimimos a nossa negatividade de modo construtivo. Desde que os nossos estados de ânimo não façam o mundo sofrer, podemos usá-los na nossa criatividade, enquanto esperamos chegar o dia em que seremos totalmente iluminados e nunca teremos mau humor (ha ha!).

Manifeste-se no momento

1. Não espere que a inspiração venha de fora. Use o que estiver vivenciando no momento e o expresse — pouco importa o tom. O nosso eu criativo está sempre pronto a expressar vida, e a vida é sempre uma surpresa com os anjos por perto.

2. Pegue o seu diário e escreva sobre as suas emoções. Use a técnica do fluxo de consciência e mantenha as emoções e os humores em sua mente enquanto segue a corrente. Pense na liberdade que as crianças têm para expressar suas emoções. Quando estiver escrevendo em fluxo de consciência, permita-se rir, chorar, gritar ou cantar em voz alta. Acostume-se com a expressão simples e básica.

3. Pegue o seu caderno de rabiscos e alguns lápis de cera ou carvão e revele os seus humores e emoções. Seja espontâneo e corajoso em seu desenho ou expressão. Use símbolos e cores para demonstrar como se sente.

4. Os anjos não o abandonam nem o julgam quando você está de mau humor. Eles não encorajam esse estado de espírito, mas não punem você indo embora, porque sabem que os humores são temporários. O que eles fazem é tornar mais brilhante a luz do amor deles na sua direção. Se você estiver com um estado de espírito que quer mudar, tudo o que tem a fazer é dar-se um momento e tomar consciência dessa luz, que lhe trará percepção e amor, qualidades que lhe dão a oportunidade de ser quem você é com confiança. Seja fiel a si mesmo o tempo inteiro. Se tiver um estado de espírito com que lidar, não negue a sua existência. Seja criativo e você se divertirá com os seus estados de espírito, tornando-se capaz de encarar a vida com muito mais alegria.

Tome uma atitude

Uma atitude é uma maneira de pensar ou de se comportar. Podemos escolher as nossas atitudes, sendo às vezes divertido criar uma atitude e ater-se a ela se precisamos mudar o modo como percebemos alguma coisa.

Escolha a sua atitude

1. Se você está irritado com algo que lhe aconteceu, deixando-o triste e enraivecido, prefira criar uma atitude de alegria, pois tudo aquilo que o deixa aborrecido é uma lição que o libertará de alguma maneira. Faça o jogo "este é o dia mais feliz da minha vida" repetindo esta frase, dizendo-a aos anjos e, em seguida, encontrando uma razão para que isso seja verdade. Você irá se descobrir cada vez mais feliz a cada dia que o fizer.

2. Pense numa atitude e medite acerca dela. Pense naquilo que a acompanha — os comportamentos e padrões de pensamento dela resultantes. Pense em como as atitudes o ajudam a expressar-se. Pense nas atitudes que os anjos têm.

3. Eis aqui algumas atitudes possíveis sobre as quais refletir: felicidade, receptividade, paz, graciosidade, amor, gratidão, extravagância, jovialidade, leveza, etc.

Terapia da *Gestalt* e auto-expressão

Tomei conhecimento da terapia da Gestalt quando eu era bem jovem e as suas regras e filosofia permaneceram comigo desde então. Um aspecto de que gosto no tocante à filosofia é que ela nos ajuda a ser autênticos e verdadeiros a cada momento e, por conseguinte, a chegar mais perto dos anjos. Pensei em partilhar alguns princípios da Gestalt com você, caso você não os conheça, para ajudá-lo a ampliar a sua auto-expressão. Esses princípios ou "regras do jogo" só se aplicam, é claro, no contexto apropriado. *Gestalt* significa todo, e a psicologia é o estudo de uma pessoa como um *todo*, responsável pelo seu próprio ser.

Uma regra (técnica de jogo) ou idéia refere-se à linguagem de "ele/ela" e à linguagem de "eu". Essa regra nos ajuda dando-nos responsabilidade e fazendo com que sejamos donos do nosso corpo e do nosso comportamento. Por exemplo, costumamos referir-nos ao nosso corpo na terceira pessoa — a linguagem do "ele". Quando tem uma dor, você em geral diz "X dói"; transforme isso em "eu dôo" ou, em vez de chamar a mão de "ela", faça o que um terapeuta da Gestalt lhe pediria para fazer: use "eu" e refira-se ao que a sua mão está fazendo. Às vezes fazemos afirmações como "está chovendo" ou "parece estranho aqui" para descrever o que ocorre ao nosso redor. Mais uma vez, ponha o "eu" no lugar do indefinido e perceba que é você que se sente estranho ou chuvoso. Esse é um jogo que um terapeuta da Gestalt pratica.

Outros jogos incluem transformar "não posso" em "não vou". Mais uma vez, o objetivo é pôr a responsabilidade em nós. Costumamos dizer "*Não posso* fazer isto", pensando que não temos capacidade ou condições, quando na verdade queremos dizer que *não vamos* fazer. Claro que há algumas coisas que não podemos fazer, e por isso a técnica só se aplica se estivermos usando o *não posso* como desculpa. Outros tópicos a pensar incluem: "tentar" significa "não fazer" ou "não vou fazer". "Deveria" e "poderia" equivalem a "vou" ou "não vou". "Mas" elimina o que você acabou de dizer. Por exemplo, na frase "Gosto dele mas acho que ele é má pessoa", o *mas* separa o que é dito, de modo que um terapeuta lhe pediria para transformá-lo em "e" para maior clareza. Outras idéias são:

- A culpa é ressentimento não-expresso.
- Às vezes fazer perguntas pode ser uma saída preguiçosa.
- Transformar perguntas em afirmações a fim de definir o que de fato está sendo pedido é também um jogo a jogar.

Às vezes é divertido reler o que escrevemos no diário e, usando esses preceitos, descobrir outros sentidos e verdades.

O "*continuum* da percepção" é um importante instrumento da Gestalt usado para descobrir o que você está vivenciando no momento. O terapeuta o traz continuamente de volta ao presente perguntando-lhe o que você está percebendo neste exato momento. Isso ajuda a libertá-lo da explicação de experiências e da interpretação de comportamentos, levando-o a simplesmente perceber o momento e confiar nos sentidos. Estar com toda a atenção concentrada no momento — percepção de sentimentos corporais, sensações e intuições — é na verdade a única coisa que sabemos com certeza.

Viver no agora é um tema central da terapia da Gestalt. As idéias a seguir estão em vários escritos relativos ao viver no agora. Fiz um sumário delas aqui.

- Viva agora. Preocupe-se com o presente, deixando de lado o passado ou o futuro.
- Viva aqui. Trate do que está presente em vez de tratar do que está ausente. Concentre-se no momento que você tem à mão.
- Pare de imaginar. Viva a realidade — este exato momento físico.
- Interrompa os pensamentos desnecessários. Em vez disso, experimente e veja.
- Prefira expressar a manipular, explicar, justificar ou julgar.
- Conceda ao que é desagradável e doloroso a mesma atenção que dá ao prazer. Não restrinja a sua percepção.
- Não aceite "deveria" ou "poderia" além dos seus próprios; pare de usar "deveria" com outras pessoas.
- Assuma plena responsabilidade pelas suas ações, sentimentos e pensamentos.
- Sujeite-se a ser como você é.

Acrescentei essas breves informações sobre a terapia da Gestalt para ajudá-lo a expressar-se e a comunicar-se do modo mais claro e autêntico. Se você tiver interesse em mais informações a respeito da psicologia da Gestalt, procure na livraria ou biblioteca alguns dos muitos títulos disponíveis.

Mandalas

A contemplação de uma mandala tem por objetivo produzir paz interior, uma sensação de que a vida voltou a descobrir o seu sentido e ordem.

Marie-Louise von Franz, *Man and His Symbols*

Mandala é uma palavra hindu que significa círculo mágico. Jung usava mandalas como uma expressão da psique humana e considerava a sua construção uma maneira de restaurar o equilíbrio e a compreensão interior. As mandalas também são usadas por algumas culturas como instrumento de meditação que permite à pessoa alcançar níveis profundos de concentração.

Faça uma mandala

1. Fazer mandalas é uma divertida maneira de auto-expressão. As regras básicas são simples. Primeiro você faz um círculo. Um compasso ou um pires podem ajudá-lo nesse particular. Em seguida, você designa quatro pontos principais no interior do círculo para representar as quatro direções, as quatro estações, os quatro arcanjos ou os quatro elementos — terra, fogo, água e ar. Você pode ter mais de quatro pontos, mas para iniciantes quatro é um bom número quando se criam mandalas. O centro — o ponto focal — representa você, e por isso o próximo passo é escolher uma imagem ou símbolo que represente você neste momento. Você também pode escolher quatro imagens para os quatro pontos, cada uma das quais representando um aspecto do seu ser. Nesse momento, desenhe as imagens ou consiga figuras e cole-as no círculo nos locais apropriados.

2. Você pode fazer uma mandala para quase tudo o que quer entender — uma autocura especial, problemas de relacionamentos, consciência angélica, natureza e carreira. Depois que terminar de fazer uma mandala relativa a um desses temas, mantenha-a à vista por mais ou menos uma semana para que ela lhe sirva de lembrete dos símbolos e imagens que ajudam você na sua vida.

3. É muito importante para o artista ter paz interior. Muitos artistas que conheço são muito tranqüilos, e outros parecem só ter paz quando estão pintando ou criando. A paz mental é como água para o seu desenvolvimento criativo. Faça a sua própria mandala relativa à energia criativa pacífica, para que possa brincar com ela e usá-la como ponto visual de concentração para meditar sobre o domínio angélico e absorver a paz criativa que sempre está à sua disposição.

Brincadeira simbólica

Tomar consciência de símbolos ou imagens da sua vida diária que tenham para você um significado importante, ou que o ajudem a expressar uma parte do seu ser, proporciona diversão e é uma boa maneira de auto-expressão. Comece pensando sobre eles e no que significam para você e use-os ativamente. Esses símbolos ou imagens podem aparecer em eventos sincronísticos ou em mensagens especiais. Você pode usá-los para dar-lhe esperança quando aparecerem no seu mundo. Pense nos seus símbolos especiais como uma extensão do seu eu atual. Faça com eles uma mandala.

Eis alguns dos meus símbolos e imagens favoritos, com uma "descrição-relâmpago" do que significam para mim:

- Pássaros: os animais de estimação especiais dos anjos.
- O Sol: a força vital dourada da criação, da regeneração e do crescimento.
- A Lua: a luz prateada da paz; o espelho pelo qual os anjos acompanham o mundo e o abençoam.
- Arco-íris e beija-flores: aquarelas dos anjos.
- Nuvens: argila celeste para os anjos.
- Árvores: obras-primas dos anjos.
- Flores: projetos artísticos dos anjos; mandalas especiais para lembrar-nos da bem-aventurança divina.

Seus símbolos

1. Faça uma relação dos seus símbolos e acrescente a cada um uma "descrição-relâmpago".

2. Uma bolsa de curandeiro é um saquinho que você usa pendurado no pescoço. Dentro dela você pode levar objetos simbólicos que tenham significado pessoal geralmente reconhecível. Crie uma "bolsa" para levar pedras, gemas, medalhas, flores e tudo o mais que você associa com o reino dos anjos.

3. Construa o seu próprio santuário angélico da criatividade. Reúna objetos simbólicos que você sente que fortalecem o seu espírito criativo. Ponha-os no seu santuário com outros objetos importantes. Assegure-se de que um deles representa o seu vínculo direto com o divino; por exemplo, uma imagem de anjo.

4. Você lembra da canção do filme *The Sound of Music* [A noviça rebelde] chamada "My Favorite Things"? Faça uma relação das *suas* coisas favoritas. Faça uma mandala, um quadro ou uma colagem de seus objetos favoritos e mantenha-o perto de você.

5. Faça uma mandala-oráculo, usando cinco pontos que representam uma estrela pentagonal. Faça que o ápice da estrela represente a conexão entre a sua cabeça e o divino. Você pode designar os outros pontos para representar o que achar adequado. Então, tire cartas para cada ponto, ou use algum outro tipo de oráculo, e escreva o que sair, ao redor do círculo. Depois, desenhe as imagens e os símbolos, que estiverem na sua mente, relacionados com cada um deles.

6. Faça uma "festa da auto-expressão" em que as pessoas se expressem simbolicamente da maneira que quiserem. Você pode formar um círculo e fazer cada pessoa nele partilhar as suas próprias imagens e símbolos e dizer por que eles são importantes.

Cor

Há cores para todos os anjos. A cor é algo que só vemos em certas dimensões, mas existem no plano espiritual matizes muito mais delicados do que as cores que conhecemos. Quando deixamos que a cor nos fale na sua verdadeira linguagem celestial, começamos a nos comunicar com seres angélicos.

K. Martin-Kuri

Quando passa por um prisma, a luz branca se decompõe em todas as suas partes constituintes — o espectro das cores. Levanah Shell Bdolak afirma que "a cor é o fenômeno da luz. Ela é a vibração do comprimento de onda da luz em movimento. E nós, na qualidade de Seres Espirituais, somos corpos de luz. Nossa energia e nossos centros energéticos (chakras) são máquinas dotadas de sintonia fina criadas num corpo de luz". A cor é uma maneira de nos expressarmos. Às vezes, quando criamos algo, as cores se tornam uma mensagem da mente inconsciente. Eis alguns possíveis significados para algumas cores. Você pode ter uma experiência diferente; por isso, anote no seu diário o que cada cor significa para você.

- Rosa: amor.
- Vermelho: primária; quente; reflete luz; fogo, sangue, nascimento, guerra, paixão, energia em estado bruto, intenso.
- Laranja: combina vermelho e amarelo; quente, energia, atividade, fogo, borboleta, abóbora, energia resistente.

- Amarelo: primária; intelecto, fé, manifestação, mente, energia mental, júbilo.
- Verde: combina amarelo e azul; reflete a luz e a absorve; natureza, cura espiritual, nutrição, liberdade com relação ao passado; serve para acalmar, aprender, "ir em frente".
- Azul: primária; fria; absorve a luz; sensibilidade, verdade, lealdade, paz, clareza; o azul celeste é a cor de Maria, Rainha dos Anjos.
- Índigo: vínculo profundo com o espírito; espírito livre, raro, abstrato, absoluto.
- Roxo: integridade espiritual, realeza interior, justiça, fortuna, nobreza, majestade.
- Ouro: Sol; Deus como luz; glória, esplendor.
- Prata: Lua, reflexão; reduz o medo interior.
- Branco: a mais alta vibração; a combinação de todas as cores em uma; pureza, transcendência, inocência, religiosidade, pensamento positivo.
- Iridescente: extramundano, estados alterados, imaginação, sonhos, etérico.
- Preto: autoridade, clero, mistério, escuridão; ausência de cor.
- Marrom: Terra.

Os anjos mantêm conversas entre si e com os mortais por meio da cor. Uma assembléia de anjos, quando dedicada a fazer orações de cura para derramar bênçãos sobre a humanidade, surge como um halo de nuvens multicores que enchem o céu ao romper do dia ou ao pôr-do-sol.

Corinne Heline

Essência natural

Há uma parte de cada um de nós que tem a mesma essência dos devas. Podemos denominá-la o nível da alma ou do espírito. Assim, cada um de nós pode "ouvir" e "falar" com o mundo angélico, pois partilhamos os mesmos mundos dentro de nós. O amor e a gratidão são as pontes entre nós.

Dorothy Maclean, *To Honor the Earth*

Vivemos num planeta chamado Terra. O Espírito Divino do planeta é a natureza ou, se você preferir, a Mãe Natureza. Ser celeste não significa negar nosso vínculo com a Terra. Estar fisicamente perto da natureza é um passo na direção de entender Deus. A natureza oferece um vínculo físico com o divino. Acho incrível que uma série de problemas "mundanos e sociais" se origine nos últimos andares dos prédios de escritórios, bem longe das árvores e dos pássaros, bem distante do solo e das pedras da Terra, com ar condicionado e tendo como única visão outros prédios — uma situação tão pouco natural!

Os seres humanos às vezes se separam da natureza partindo do seguinte pensamento: "Estamos aqui e a natureza está lá; Deus está lá em cima e nós estamos cá embaixo." Não há separação. E, se de fato nos dermos conta disso, faremos escolhas que estejam de acordo com Deus, com o céu e com a natureza. Se amamos a sensação do sol no nosso rosto, se pulamos de alegria diante de um belo pôr-do-sol, se celebramos o mundo natural, nem por isso nos tornamos idólatras. Deus está em toda parte. Pisamos em solo sagrado.

"Voltar à natureza" é uma grande maneira de expandir nossa criatividade. Para mim, não há nada melhor do que um gostoso e tranqüilo passeio ao ar livre. Pouco importa para onde os seus passos o levam, desde que haja vegetação natural ao redor. Pare e observe tudo o que lhe interessar no mundo da natureza. Uma forma incomum ou uma flor que você nunca viu podem chamar-lhe a atenção; pare e observe-as. Peça aos anjos que o inspirem. Acho que uma das melhores maneiras de aprender a desenhar é sair e desenhar árvores, ramos, flores, etc. A proximidade da natureza lhe dará um corpo, uma mente, um espírito e uma alma saudável.

Os anjos da terra — os espíritos da natureza — cuidam do crescimento das plantas e árvores. Você pode entrar em contato com esses espíritos ouvindo a energia criativa da paisagem que o cerca e sintonizando-se com ela. Do mesmo modo como as cores naturais da paisagem nunca entram em choque, quanto mais naturais nos tornarmos e quanto mais naturalmente vivermos, tanto menos entraremos em choque com a natureza. Nosso objetivo é viver em harmonia com as forças da natureza.

De volta à natureza

1. Uma maneira de entrar em sintonia com o encanto da natureza é pegar um bloco de desenho e um lápis ou caneta quando se está perto

de árvores, de flores e do céu e fazer esboços do que se vê. Mesmo que não acredite que pode fazê-lo com facilidade, faça-o assim mesmo. Desenhe, não com a idéia de criar um desenho perfeito, mas com o objetivo de começar a ver aquilo para que olha. Esse processo está vinculado com a descoberta, e arte é descoberta. Olhe atentamente para a casca de uma árvore e então faça um esboço dela. Recue e olhe a árvore inteira e depois desenhe-a. Olhe para as folhas no chão e faça o mesmo. Tente esboçar sem olhar para o papel. Feche os olhos e desenhe. Liberte a sua mão, liberte a sua natureza e boa diversão.

2. Faça um piquenique no seu parque favorito e convide os anjos e espíritos da natureza. Entreviste-os acerca do ambiente deles. Pegue o seu diário e anote quaisquer mensagens. Passeie pela floresta, caminhe na praia, entre em contato com o deserto e procure novos caminhos naturais para explorar e para ouvir-lhe as mensagens. Leia *To Hear the Angels Sing*, de Dorothy Maclean, para obter inspiração (veja a Relação de Livros e Recursos).

3. Descubra um riacho, uma fonte, uma queda d'água, um poço ou qualquer outro lugar em que os raios do sol brilhem sobre a água. Observe a luz refletida na água e absorva a energia psíquica refletida pela luz. Peça aos anjos que elevem a sua vibração e lhe tragam alegria. Enquanto acompanha a dança da luz solar acima da água, analise as suas atividades recentes e procure descobrir nelas padrões e percepções.

4. Sente-se calmamente num parque, num jardim ou no quintal. Feche os olhos e concentre-se na energia de crescimento e regeneração que está vibrando ao seu redor. Estabeleça um vínculo com essa energia até de fato poder ouvir, sentir, ver e cheirar as vibrações do crescimento. Use essa energia na sua própria vida. Peça aos anjos que ajudem a regenerar todas as células saudáveis do seu corpo. Visualize todos os seus órgãos com vida e vigor renovados.

5. Vá a uma floricultura e escolha uma planta baseando-se apenas no sentimento. Não baseie a sua opção na aparência da planta, mas na sensação que ela lhe traz. Deixe que os anjos o orientem. Depois, estude a essência da planta que escolheu. Procure informações sobre ela e passe a conhecer o seu nível de vibração. Use-a como parceira de meditação ou de oração.

6. Faça um pequeno jardim e considere-o um jardim mental. Você não precisa plantar um grande jardim; mesmo um vaso na janela serve. Pegue algumas sementes para plantar. Enquanto as estiver plantando, pense que o solo é como a sua mente, e as sementes, como pensamentos

e idéias. Preste muita atenção aos estágios do crescimento e use-os para representar áreas da sua vida. Brinque com a idéia. Entre em contato com o modo pelo qual o seu crescimento de fato acontece e analise o simbolismo da vida.

7. Procure outras maneiras pelas quais o crescimento na natureza nos representa. Plante uma videira e estude o seu simbolismo. Plante legumes e desfrute uma colheita abundante. Plante flores para aliviar e abençoar a sua alma. Viva perto de árvores para obter a força e a proteção da sua sombra. Pense no vínculo que há entre o sol, o ar e a água — todos necessários para o crescimento e a fruição.

8. Pense no uso da expressão "com os pés na terra" e reflita como é vitalmente importante para as plantas estar fincadas na terra. Se precisar pôr os pés na terra, imagine as suas raízes invisíveis entrando no solo para obter alimento e estabilidade. Comer batatas e arroz é uma boa maneira de manter os pés na terra. Use a imaginação para descobrir os espíritos da natureza e a proteção que eles dão às plantas e aos animais. Compare esse relacionamento com aquele que você tem com o seu anjo da guarda. Esses são pensamentos seminais; deixe que eles germinem na sua imaginação. Você se divertirá com isso.

9. Estude as flores e mantenha no seu diário uma pequena seção sobre as suas flores favoritas. Estude aromaterapia e consulte livros sobre ervas. Leia sobre os florais de Bach (veja a Relação de Livros e Recursos). Quanto mais você entrar em sintonia com os anjos, tanto mais irá compreender como as flores e ervas são importantes para você. As flores são criações celestiais pelas quais os anjos são responsáveis diretos. Gosto de pensar nelas como os projetos artísticos dos anjos. A vida ao ar livre é a galeria de arte dos anjos. As flores têm um efeito direto sobre a nossa alma. Quando ler sobre os florais de Bach, você irá compreender como as flores são surpreendentes. Plante as suas flores e ervas favoritas. Aprenda a fazer chá e arranjos e descubra outras atividades divertidas e criativas com ervas e flores.

Idéias variadas

Reciclagem

1. Recicle com arte e criatividade em mente. Quando encontrar algum material — um pedaço de madeira, um bom pedaço de papelão,

etc. —, segure-o por um momento e peça à sua musa interior idéias sobre como criar arte com ele. Ou simplesmente vá guardando objetos. Quando as idéias surgirem, você já terá material com que brincar.

Pinceladas

1. Comece uma pequena coleção de pincéis de aquarela em diferentes tamanhos e formas. Sempre que tiver vontade, compre algumas aquarelas (as baratas servem) e brinque com pinceladas. Você também pode usar tinta de maneira interessante. Não tente criar nada em particular; apenas brinque com as várias maneiras de usar um pincel. Depois, brinque com combinações de cores e divirta-se.

Criando com as crianças

1. Se tiver filhos ou trabalhar com crianças, não tenha medo de pintar com os dedos ou de fazer castelos de areia com eles. Escreva histórias tolas. Pegue tinta e pinte uma árvore, uma casa e um Sol. Se não tiver crianças por perto, talvez você possa se oferecer para ajudar numa escola próxima.

Observações finais do Capítulo 4

O caráter sagrado do projeto criativo

O que é sagrado deve ser olhado com o maior respeito e reverência. Um projeto criativo é sagrado e precisa ser tratado como tal — e não explorado ou usado erroneamente. Uma pessoa sábia disse-me certa vez que quando se começa um projeto, deve-se pensar nele de início como um embrião. Trate-o como você trataria um embrião. Até mesmo um furo de alfinete pode destruir um embrião. Pense nesse furo de alfinete como um pensamento negativo de alguém desestimulando você nesse estágio. Portanto, não conte a muitas pessoas (talvez seja melhor não contar a ninguém) sobre o seu projeto quando ele estiver no estágio de embrião. O estágio seguinte pode ser pensá-lo como um feto. Nesse ponto, o seu projeto ainda é frágil, mas não será destruído por um alfinete. Ele ainda tem de se desenvolver, o que torna necessário alimentá-lo e preparar-lhe um ambiente adequado ao crescimento. Vem depois o nascimento, e o seu projeto criativo se torna um bebê, exigindo toda a atenção que você daria a um recém-nascido. Você se sente protetor e constantemente alerta às suas necessidades. Quando o seu projeto se torna uma criança, você começa a permitir que ele saia para o mundo sozinho, mas com o olho vigilante e cuidadoso. É claro que você não deve levar essa idéia muito a sério. Trata-se somente de uma metáfora com que brincar, e que no passado me serviu muito. Outro modo de usar essa metáfora é pensar na seqüência; semente, broto, plantinha e, por fim, árvore.

O que fazer com um projeto criativo concluído

A criatividade nem sempre significa que você termine um produto ou projeto. Mas, quando isso acontece, vale a pena pensar sobre o que é mais importante — se o processo ou o resultado. Nem todos os projetos criativos precisam ter vínculos comerciais. Muitas vezes na minha vida escolhi uma forma de arte apenas em função dos seus benefícios terapêuticos, e de fato apreciei o que criei. Às vezes ninguém mais vê as minhas criações e os meus desenhos a não ser anos depois, ou mesmo nunca. Você não precisa ser um cantor famoso para gostar de cantar. Não tem de ter uma galeria para gostar de pintura. Freqüentemente as pessoas começam um projeto criativo com a intenção de mostrá-lo de imediato ao mundo, guiando suas ações para agradar o mundo ou enquadrar-se a um interesse corrente. Esse não é o modo recomendado de ter acesso ao reino da criatividade espiritual. Há ocasiões em que isso pode parecer uma maneira de ganhar muito dinheiro — seguindo a moda, etc. —, mas o dinheiro vem e vai, o mesmo acontecendo com a moda. Faça o que o seu coração o orienta a fazer e você pode terminar criando uma nova e original onda de interesse. Não vá atrás dos outros. Siga o seu próprio caminho.

O fluxo e refluxo do impulso criativo

Acompanha o impulso criativo um padrão energético natural — ação, cultivo e, em seguida, um calmo tempo de incubação. Se só houver ação, haverá muito pouca integração da inspiração e pouco tempo para estabelecer um real vínculo com os anjos e com o mundo natural. Assegure-se de integrar o equilíbrio à sua criatividade. Nos dias em que não estiver inspirado para representar o seu impulso criativo, dê uma parada e saiba que esse descanso pode ser um momento de importância crucial em favor do seu fluxo criativo. Não julgue um dia calmo como não criativo ou não inspirado. Apenas pare por algum tempo — ou mesmo fique entediado —, tendo a certeza de que há muito mais acontecendo do que o que os seus sentidos físicos e estados de espírito percebem de imediato. Seja o que for que esteja criando, uma solução para um problema ou um projeto, você tem de dar tempo à incubação. *Incubação* significa "levar a se desenvolver em situações adequadas".

Esteja atento aos pensamentos que aparecem quando você está relaxado ou fazendo algo que liberta a sua mente. Com muita freqüência, ocorrem-me pensamentos quando estou no chuveiro. Dou-lhes o nome de meus "pensamentos de chuveiro". Assim que termino o banho, eu os anoto, e eles têm sido muito úteis para o desenvolvimento de idéias. Se você ficar paralisado ou aborrecido por algum motivo em meio a uma atividade criativa, pare o que estiver fazendo e vá deitar-se e respirar fundo. Purifique a mente cada vez que respirar. Isso pode dar-lhe uma rápida percepção, nova inspiração, novas idéias e uma nova abordagem a seguir quando você retornar ao que estava fazendo.

Lembre-se de que a verdade é um solo não demarcado e que às vezes a nossa criatividade é estimulada quando vagamos sem rumo. Não tenha medo de ficar sem rumo nem direção. Não permita que sistemas de crença voltados para metas o impeçam de descobrir quem você é e o que você quer criar. Sonhe, deixe que a sua mente vagueie, abandone as metas estabelecidas — em outras palavras, tire umas férias das pressões de ser alguém e você há de descobrir quem de fato você é.

Parte Três
Jornadas Guiadas Pelos Anjos

Sobre a Parte Três

Esta seção consiste em três jornadas guiadas pelos anjos, concebidas para serem lidas ou usadas como meditação dirigida. Escolhi este formato para falar de coração a coração — com a esperança de afastar boa parte do raciocínio intelectual e da lógica com que nos deparamos o dia inteiro. Espero com estas meditações ajudar você a se acostumar com a idéia de mergulhar no seu próprio íntimo a fim de obter alimento e força espirituais.

Uma vez que tenha lido uma destas jornadas e deixado que ela o toque, você nunca mais será o mesmo. Você começará a desenvolver-se e a modificar-se à medida que aceitar com amor as muitas partes de si mesmo. O amor-próprio irá alimentá-lo e fortalecê-lo. Assim que você tomar consciência do amor que tem por si mesmo, ele se disseminará em todas as áreas da sua vida. A jornada é um processo desencadeado pela sua aceitação do amor, a lei da graça, e pelo seu pedido de ajuda divina.

Prepare-se para as jornadas de um modo que o faça sentir-se mais à vontade. Você pode descobrir que está pronto depois de umas poucas inspirações profundas relaxantes, ou então querer repetir antes um mantra ou oração. O mais importante é que você crie para si um espaço sagrado e seguro. Você pode fazê-lo simplesmente declarando que está seguro e protegido, pronto para viajar com o seu anjo da guarda ao encontro do seu novo anjo-guia. Defina o seu espaço sagrado com velas, música, flores, pedras especiais e um cristal especial para segurar. Queime incenso ou uma lamparina aromatizadora contendo o seu óleo favorito. Divirta-se com a idéia de criar um espaço sagrado. A idéia principal é levar tudo na brincadeira, e não a sério. Assim, você atrai a sua mente inconsciente, onde há sementes de amor-próprio ansiando por germinar.

As jornadas podem se fazer vívidas nos seus sonhos, o que significa que você pode ir mais longe enquanto dorme. Por isso, peça ao seu anjo-guia que lhe apareça em sonho para guiá-lo e para ampliar os seus conhecimentos enquanto você dorme. As palavras são energia, razão por que ler as jornadas tendo isso em mente exercerá efeito sobre você. Nada há de negativo com relação às jornadas ou nelas mesmas. Por você, os anjos só têm amor. As experiências com jornadas angélicas permitem que você cresça e conheça a si mesmo e à missão da sua alma, a fim de achar mais fácil amar a si mesmo e à sua vida.

Se quiser estimular um estado de meditação para a jornada, mantenha-se no seu centro respirando funda e lentamente para encher de luz o seu ser. Sinta a luz percorrendo o seu corpo e unindo-o à terra para mantê-lo firme. O seu anjo da guarda mantém a energia do amor perto de você. Sinta o calor que isso traz ao seu ser.

Se você alterar o seu estado desperto para a realização da jornada, é importante retornar à sua realidade física depois. Desperte a si mesmo através da respiração imaginando que, a cada vez, inspira ar contendo um puro e energizante oxigênio. Isso o ajudará a voltar à terra. O alecrim é um bom aroma para limpar a mente. Sempre que precisar de ajuda, peça ao seu anjo da guarda ou repita três vezes a afirmação dirigida ao Arcanjo São Miguel: "Divina Luz da mais elevada ordem sob a proteção do Arcanjo São Miguel."

Anjos-guias

Você encontrará nas jornadas anjos-guias que talvez não soubesse que estavam ali ao seu dispor. Esses guias estão à sua disposição se você quiser criar o seu próprio concílio de amor por si mesmo e de evolução da alma, para o progresso e a expansão do propósito por que você está aqui na Terra. Esse concílio estará reunido o tempo inteiro para guiar você em decisões e escolhas criativas, e estará sempre enviando-lhe mensagens de amor. Os seus guias irão ajudá-lo a sintonizar a sua alma com a sua personalidade por meio do aperfeiçoamento pessoal e da aquisição de qualidades virtuosas. E os seus guias o ajudarão a elevar a sua criatividade inata a alturas celestiais.

Os anjos-guias são guardiões de um sistema próprio de energia universal ao qual você pode recorrer. Os sistemas de energia positiva do universo são guardados pelos anjos. Quando você permite que um determinado sistema energético percorra de modo harmonioso o seu sistema, cria-se um campo magnético que atrai para você energia positiva, energia essa que lhe dará condições de transcender as limitações humanas que podem ter sido criadas pela sua mente. Vinculando-se com certos sistemas de energia, você pode acabar com programas negativos que o fazem repetir hábitos também negativos. Você pode notar as mudanças imediatamente, assim como as alterações podem ser um processo mais lento. Apenas lembre-se de que o envolvimento dos anjos num processo de mudança é sempre para o seu bem *espiritual* maior (e não terreno).

Registre a sua experiência

Depois de cada jornada, você pode fazer a si mesmo perguntas como:

- Qual a aparência do meu guia?
- Qual o nome do meu guia?
- Que sensações tive durante a jornada?
- Que cores vi ao redor do meu anjo-guia? (Você pode descobrir que uma cor se destaca, e que a cor funciona como o raio no qual o seu anjo-guia estabelecerá contato com você e com o seu anjo da guarda.)
- Tive algum pensamento novo sobre o amor?
- Que bloqueios humanos irei transcender agora entregando-os aos anjos?
- Senti um nome para o meu guia ou anjo da guarda?
- Algum aroma chegou até mim?
- A que sistemas de energia aprendi a ter acesso?

Capítulo 5

Amor-próprio e Aceitação

Se você permitir, esta jornada irá ajudá-lo a se libertar de razões e desculpas passadas e a rumar em direção aos prodigiosos e eternos efeitos do verdadeiro amor-próprio.

Feche os olhos. Relaxe o seu ser físico. Respire fundo. Cada respiração aproxima mais os anjos de você. Suas preocupações estão se dissipando. O "ruído" do mundo é silenciado. Você está num espaço sagrado protegido pelo Criador celestial e pelos anjos. Cada respiração abre o seu coração. Através do seu coração, a sua mente se suaviza e absorve a beleza e o amor do reino dos céus. Sinta o ar que você inspira entrar pelo seu coração e expandir-se até alcançar a sua mente, e sair, dirigindo-se ao sistema energético universal do amor. À medida que deixar o mundo para trás, entre em sintonia com o seu anjo da guarda e forme com ele uma unidade.

Agora você está esperando, na densa névoa azul da meia-noite com o anjo da guarda ao seu lado. Você não vê nada, mas sente uma presença amorosa aproximar-se de você. Chega um anjo-mestre para guiá-lo numa jornada de amor-próprio e de auto-aceitação. Reserve um momento para familiarizar-se com o seu guia por meio do sentimento. Tente sentir a presença dele ou dela. Mas você não pode ver o seu guia porque está mergulhado num denso nevoeiro azulado.

Enquanto você espera, diante do portal que leva ao sistema energético da pura luz do amor, o seu guia pergunta: "*Você está disposto a amar e a aceitar a si mesmo neste momento, a transcender os reveses humanos triviais que o fazem sentir-se indigno de amor?*" Se respondeu sim, você está pronto a fazer uma jornada por esse portal com o seu mestre.

Tudo o que você pode ver é o profundo nevoeiro azul, mas você se sente seguro e protegido quando o seu guia toma-o gentilmente pela mão. O seu guia envia-lhe um pensamento sobre como você é especial, e isso faz você se sentir inocente como uma criança. Há outro acontecimento enquanto esse sentimento amoroso penetra na sua consciência. O nevoeiro começa a se dissipar e pequenos feixes de luz pairam ao seu redor quais estrelas no céu. Sinta esses feixinhos de luz colorida e deleite-se com eles. Cada um deles é um pensamento sobre como você é especial. Agora é a sua vez de dirigir a si mesmo um pensamento amoroso. Tenha em mente que você se encontra num espaço sagrado onde os pensamentos dos outros não o atingirão. Você forma um único ser com os seus anjos e com Deus. Pense em algo maravilhoso sobre si mesmo — não algo que outra pessoa pensa, mas algo de que *você* gosta em si mesmo. Se começar a se sentir tolo ou descobrir que está pensando demais, reserve um momento para relaxar e voltar ao seu centro. Simplesmente, deixe que surjam sentimentos de amor por você mesmo. Aí vêm eles. Agora, aqueça-se à luz do amor-próprio.

O nevoeiro se dissipa mais um pouco e as estrelas desaparecem; você percebe uma luz dourada tornando-se reluzente como o Sol que nasce no oriente. A névoa adquiriu uma flamejante tonalidade cor-de-rosa. O seu guia faz você dar um passo à frente. Você ouve a voz interior, a voz que o estimula a amar a si mesmo. A partir desse momento, você ouvirá essa voz com freqüência. O seu anjo-guia pede que você continue a gerar pensamentos e sentimentos amorosos sobre si mesmo, um depois do outro, com a maior rapidez possível. Cada vez que surge um pensamento ou sentimento amoroso, desaparece um pouco mais o nevoeiro. Você termina por se ver plenamente envolto na luz dourada ao dar um passo à frente na trilha do amor-próprio, com o seu guia angélico vindo do sistema energético do amor divino. Você tem uma boa idéia de quem é o seu anjo-guia e da aparência que ele ou ela tem. Você pode ver apenas luz, sentir somente uma presença ou ver um anjo com asas. A aparência do seu anjo-guia está a cargo da sua imaginação particular e especial. Cultive o sentimento de amor que existe nesse ambiente em que você entrou. Você vai querer voltar a esse domínio no futuro. O sentimento que você tem dele agora irá permitir que você o sinta e tenha acesso a ele outra vez quando precisar.

Olhando para a frente, você vê uma bela arcada feita por um entrelaçamento de luzes cor-de-rosa. Você descobre que pode controlar o brilho de tudo o que o cerca por meio dos níveis de amor que gera para si mesmo. Quanto maior o amor que você der a si mesmo, tanto mais resplandecente se torna esse mundo especial, e você começa a ganhar a sua visão celestial. Com a visão celestial, tudo parece iridescente. A luz é ponteada por espectros de cores que você nunca viu antes. Você se dá conta de que algo mais aconteceu. Seu corpo ficou tão leve que você mal o percebe. Na verdade, você parece estar deslizando em sincronia com o seu anjo-guia enquanto flutua através do portal de luz cor-de-rosa.

Depois que vocês entram, o seu guia começa a ensinar. Você vê algumas pedras grandes perfeitas para se sentar, perfeitas para se ter uma conversa. Quando você se senta na sua pedra, aparece uma caverna. A água cai delicadamente das rochas e das samambaias que formam essa caverna, e a luz apreende as gotas, fazendo emanar raios de cores celestiais. A beleza dessa caverna é estonteante e você se sente atordoado e feliz. Você é atraído por algo que brilha no centro da caverna. Parece uma chave, e o seu mestre envia-lhe o pensamento de que, na hora correta, você saberá que aquilo que brilha é um presente para você.

É hora de examinar algumas idéias relacionadas com o amor-próprio. Seu mestre fala. "*A primeira idéia a ser examinada é: Aceite a si mesmo tal como você é neste exato momento. Você é quem é agora por uma razão específica e independentemente do que pensa ser bom ou ruim, certo ou errado, na sua vida; você tem de aceitar a vida como perfeita ao ser exatamente o que ela é. Você é perfeito ao ser quem você é agora. Você tem a opção de aceitar todas as partes de si mesmo.*"

O mestre faz uma pausa. Você faz perguntas, mas ele nada diz, porque as respostas estão dentro de você. Você agora tem de gravar o que ouve antes que ele prossiga. Uma luz brilha. Acontece. Você aceita tudo — desiste de suas idéias sobre quem deveria ser e sobre como a vida deveria ser. Agora aparecem árvores ao redor da caverna, dando-lhe força. Você sabe que sempre que vir uma árvore, a partir desse momento, ela lhe dará forças para aceitar a si e à sua vida.

Seu professor sorri e envia uma bênção à sua alma. Ele volta a falar. "*A segunda idéia é que a vida humana é basicamente boa. Sua vida é boa; ela é especial. Você está neste mundo mas não é parte da ilusão mundana que se processa fora da sua porta. Você pertence ao céu. Ame a sua fragilidade e a sua humanidade. Elas o unem à força criativa do universo e permitem que você ame outros seres humanos e sua fragilidade. Quando amar a fraqueza inerente à condição humana, você se tornará forte interiormente. Você conhecerá a força do amor incondicional — a força que o fará íntegro.*" Essa idéia o deixa um pouco confuso. A fragilidade e a fraqueza não parecem exatamente características para se admirar. Você pergunta ao seu mestre sobre isso e, mais uma vez, há silêncio. Então você percebe que há algumas características próprias da condição humana que podem sair do seu controle. Quando tenta controlar algo e desviar o rumo na direção errada, você fica fraco e exausto. Voltando-se para o Poder Superior do amor incondicional (Deus) e entregando-se ao seu controle, você se torna forte. Você aprende maneiras de ser que lhe dão força. Você sabe que a vida é boa e vai mudar o que puder, entregando o resto a Deus. Quando você se dá conta disso, o seu mestre aponta para um grande arco-íris que se estende acima da caverna e das árvores. Esse arco-íris representa a esperança. A partir desse momento, quando vir um arco-íris no céu ou refletido por prismas, você sentirá a esperança irromper por toda a humanidade e pela natureza.

Seu mestre ri e você sente o riso ressoar em sua alma. Você também começa a rir, porque a vida é muito engraçada. A vida é boa. Você se sente bem e feliz. É hora do terceiro exame relacionado com o amor-próprio. Você olha para o seu mestre e vê um espelho com o seu próprio reflexo. O mestre fala. "*Fale com a pessoa que você vê neste espelho e diga-lhe que não vai mais rejeitá-la. A partir de agora, você estará disposto a amar a pessoa que está no espelho. Você sabe que está disposto a isso. O amor-próprio começa com a boa vontade. Olhe o seu sorriso. Você de fato ama a si mesmo, e isso é bom. Você é bonito. Seja gentil consigo mesmo. Aproxime-se do seu reflexo e abrace a si mesmo. Você é vida divina — você é o próprio amor. Você conhecerá a força do amor como nunca antes aconteceu, pois tem em si a vontade de realmente amar a vida — você mesmo.*"

O espelho se vai e seu mestre fica em silêncio. Você imagina se de fato ama a si mesmo. Então percebe que o pensamento nada sabe do amor. O amor é uma força, e você está disposto a senti-lo. Quando você reconhece isso, a área ao redor da caverna fica repleta de flores, de aves e animais. A vida está dançando ao seu redor. Você vê os espíritos da natureza enchendo as árvores de força. Você sente o arco-íris da esperança vibrar de amor.

O seu anjo-guia pega o objeto reluzente pelo qual você se sentiu atraído e o dá a você. É um presente para lembrá-lo de que você é amado no céu e de que, quanto mais gerar esse amor celestial por si mesmo, tanto mais magnífica será a vida. De repente, o presente vívido se implanta no seu coração. Você nunca mais será como antes pois foi transformado pelo amor-próprio. Você agradece ao seu anjo-guia e a si mesmo. De repente, você se vê tomado pelo impulso de gritar algo como "Amo, logo existo!" Um clarão de amor-próprio divino surge no seu caminho e você percebe que a jornada apenas começou.

Você voltou com a chave do amor-próprio. Torne a sua chave real na sua vida. Pegue um objeto, como uma pedra favorita ou uma velha chave, e mantenha-o consigo para lembrar-se do amor-próprio.

Capítulo 6

De Volta à Fonte

Um anjo é um ser de luz do reino dos céus. Muitas pessoas acreditam que eles vieram diretamente do reino dos céus para o reino da Terra. Outras sentem que eles vieram de outros reinos ou de outras galáxias. Para esta jornada, examine a idéia de que você veio para cá diretamente do reino dos céus. Pouco antes de entrar no plano físico, você formava unidade com os anjos, brincando e gerando alegria e amor. No céu, todos os seres de luz trazem em si as sagradas qualidades do amor, do júbilo, da felicidade, da jovialidade, da paz e do humor divino. Essas qualidades se mantêm vivas por meio do intercâmbio existente entre os seres humanos e os anjos. Os seres humanos precisam de ajuda para manter vivas na Terra as qualidades sagradas, e é por isso que temos um anjo da guarda. Ele protege a nossa espiritualidade ao lembrar-nos de quem de fato somos. Nosso anjo da guarda é o nosso reflexo angélico. Para esta jornada, você voltará ao céu para ver o seu reflexo angélico. Você pode querer afirmar que será um anjo em treinamento aqui no reino terrestre. Isso significa que você irá jurar manter vivas aqui na Terra as qualidades do céu. Ao declarar-se um anjo em treinamento, descobrirá que vibra de modo natural numa freqüência mais elevada e que será capaz de entrar em sintonia com o reino dos céus nas suas meditações e práticas espirituais.

O seu anjo da guarda o conhece desde o começo do primeiro sinal da sua alma. Agora, você se funde em completa sintonia com o seu anjo da guarda e sente-se à vontade e em paz. Cada vez que respira, o seu coração se abre e o amor entra — vindo da fonte divina de toda a vida. Uma paz calorosa e reluzente o cerca e se espalha pela sua mente, limpando a janela da sua alma. Seus sentimentos e o seu bem-estar vão se expandindo e você começa a sentir todo o corpo entrando em sintonia com a luz. Você agora está sintonizado com as vibrações luminosas do reino dos céus. Está em completa sintonia com o seu Eu superior ou anjo da guarda.

Você se sente um pouco sonolento, o que o lembra dos sentimentos sonolentos que teve quando bebê. Uma nuvem de luz cor-de-rosa aparece, e você se deita para descansar o corpo. Agora, flutua na sua nuvem na direção ascendente. Você não tem medo porque sabe que forma unidade com o seu anjo da guarda. O mundo físico denso desapareceu, e você se vê num mundo de cores brilhantes, de estrelas que dançam e de vívidas formas espirituais. Você reconhece os sons, aquilo que vê e os doces aromas. Você ouve um suave canto a distância. Os sons são delicados e nítidos. Você ouve uma canção de amor — um coro de anjos cantando louvores ao Criador celestial, a divina força vital —, a mais elevada vibração de amor do universo.

Você se vê deslizando rumo a uma luz que reconhece ser a sua cor favorita. Ao se aproximar dessa luz, você percebe que chegou a um corredor, e um anjo-bebê — um querubim — está à sua espera. O anjo-bebê será o seu guia pelo caminho da sua cor especial. Embora o seu guia seja um bebê, você recebe dele uma sensação de verdadeira sabedoria aliada à mais pura inocência. Reserve um momento para comunicar-se com o seu guia. Um nome pode lhe ocorrer. Seu guia pergunta se você está pronto para percorrer o caminho que leva ao reino dos céus. Você está preparado para ver o seu próprio reflexo angélico? Você diz sim e se vê no céu.

Ao seu redor está a divina atividade do universo. Há anjos por toda parte e você testemunha torrentes de amor irradiando-se na direção da Terra. Você está na fonte. Ela é tão bela que as palavras não são necessárias, os pensamentos se esvaeceram e você forma unidade com tudo o que é amor. O seu guia o leva até o jardim dos reflexos. Altas estruturas cristalinas espelham a luz e a energia do amor que aparecem no seu caminho. Você agora olha de frente para uma das estruturas de cristal, e a primeira imagem que vê é a cor mais extraordinária que poderia imaginar. Essa cor tem tal beleza que faz você ficar tomado de jovialidade. Você está vendo a cor especial de luz que brilha no seu coração.

Ela foi criada junto com você. Enquanto você olha diretamente para a luz do seu coração, o anjo-guia pede-lhe que veja o seu reflexo angélico. Trata-se de uma experiência de sentimentos que nada tem que ver com os pensamentos. O que você vê com os olhos da mente? Que tal lhe parece o seu reflexo angélico? Dê uma boa olhada e memorize a si mesmo como o anjo que você é. Faça perguntas sobre si mesmo. Descubra mais sobre quem de fato você é. Peça ao seu guia e ao seu anjo da guarda que permitam que essa visão do seu reflexo angélico permaneça na sua mente para quando você quiser lembrar-se dela. A pura sabedoria e inocência de uma criança são suas. Você as tem dentro de si mesmo, sempre. A partir de agora você saberá como recorrer à fonte quando precisar se reavivar para a sua missão terrena.

Agora você está livre para perambular nessa jornada. Se você gerar a intenção de ver um certo aspecto de sua vida por meio dos olhos de um anjo, isso acontecerá num instante. De que acontecimento de sua vida você gostaria de ter uma visão superior? O que de fato lhe importa? O que traz um real significado à sua vida? Vagueie livremente por esses pensamentos. Deslize ao redor deles céu afora e aproveite todas as maravilhas. Você está na fonte de tudo o que reflete a beleza e a doçura. O que você quer levar consigo para a Terra? A beleza traz alívio à sua alma na Terra. Lembre-se das visões que está tendo dessa beleza celestial a fim de recorrer a ela quando necessário.

Seu anjo-bebê o lembra de que é hora de voltar à Terra. O seu guia lhe diz que você verá a terra de maneira diferente. Agora que viu o seu próprio reflexo celestial, você terá vislumbres de reflexos angélicos em toda a vida que há sobre a Terra. A beleza irá se ampliar à medida que você perceber que ela existe na Terra — na natureza, nas pessoas, no céu estrelado, na arte e, sempre, no seu coração. Sua nuvem aparece e aquela mesma sensação de sonolência volta a dominá-lo.

Você se deita em sua nuvem e o seu anjo-bebê lhe diz que sempre estará com você; quando precisar ver a sua criança-anjo interior de sabedoria, ela estará com você. Você chega ao portal colorido, e o seu anjo-bebê lhe dá um presente. Observe a sua aparência. Ele o ajudará a estabelecer uma conexão com o seu guia a partir do plano terreno. Flutuando, você se afasta do reino dos céus, passando pelo portal. Cada lenta respiração sua se espalha por todo o seu corpo. Você gosta do seu corpo. A cada vez que você respira, o seu corpo se torna seu amigo. Seu corpo é o lar da sua alma — o seu reflexo angélico —, e você está feliz de voltar à Terra a fim de poder aproveitar plenamente a vida que você é. Seu anjo da guarda assumiu uma posição no seu Eu superior a fim de iluminar e guardar você em todos os seus caminhos na Terra e além. Com mais uma profunda respiração de luz, você retorna, desperto, com o coração aberto. A jornada foi cumprida.

Você voltou com o conhecimento do seu reflexo angélico. Torne-o real na sua vida.

Capítulo 7

Aventurando-se nos Domínios da Imaginação

Você e o seu anjo da guarda têm um encontro importante. Você tem o compromisso de conhecer uma musa do reino das idéias criativas que o levará numa rodopiante viagem dos sentidos. Você não tem tempo para pensar acerca do que pode encontrar, mas um sentimento de pura excitação está fermentando dentro de você.

O seu anjo da guarda tem o mapa que dá instruções de como chegar ao lugar em que você conhecerá a musa. Você tem milhares de perguntas para fazer ao seu anjo da guarda enquanto caminha por uma bela trilha na montanha. Você pergunta: O que é uma musa? Qual a aparência de uma musa? As musas são amigáveis? E assim por diante. O seu anjo da guarda o informa que, embora possam parecer inofensivas e cheias de boas idéias, elas também podem ser um tanto travessas, como Puck.* E é por isso que o seu anjo da guarda está indo bem do seu lado. Na realidade, as musas não querem causar problemas na vida das pessoas; o fato é que elas não têm todos os problemas de sobrevivência que temos, como comer, dormir, beber e relacionar-se com outros seres humanos. Assim, às vezes a sua inspiração pode ficar intensa, fazendo com que os seres humanos anseiem por um outro reino e vivam apenas para criar aquilo que estão vivenciando neste outro reino. As musas são atraídas por seres humanos que usam a energia criativa, desejosas que são de

---

* Personagem da peça de Shakespeare, "*Sonho de uma noite de verão*".

ajudar a pôr um pouco de lenha na fogueira. Às vezes, lenha demais numa fogueira pode causar um desastre.

Você sente que foi alertado e bem informado. O seu anjo da guarda pára nas proximidades de uma grande pedra, e você espera a vinda da musa. Essa espera não lhe agrada. Parece que a musa o faz ficar ali por muito tempo, e o seu anjo da guarda lhe diz que olhe a beleza em volta e não fique tão ansioso. Quando você olha ao redor, um sentimento da verdadeira beleza enche-lhe a alma. Justamente quando você esquece a razão de estar ali, a musa pula de detrás da pedra e pára à sua frente, piscando, com um brilho nos olhos. Você já sabe que tem alguém muito especial com quem lidar. Você fica com vontade de rir, mas não quer incomodar ninguém. O seu anjo da guarda não parece tão impressionado quanto você, mas você percebe nele um sorriso. Você pergunta à musa se a pedra é o seu lar e tudo o que consegue é um olhar "divertido". O seu anjo da guarda informa que a musa não se expressa na linguagem humana, mas que você se acostumará com uma forma diferente de comunicação e então irá entender.

A musa dispara montanha acima e você corre atrás dela com um jeito estranho de andar. Uma brisa tépida está soprando, trazendo consigo uma fragrância estonteante. Você se sente muito tonto e leve. A musa pára diante de uma trepadeira em flor que cobre toda uma encosta. Uma flor parece acenar chamando-o cada vez para mais perto, até que você descobre que está dentro da flor, com o seu anjo da guarda e a musa. Esta o apresenta ao espírito guardião da flor, que parece uma fada dos livros. Ela pode falar com você, e você lhe pergunta onde ela consegue a fragrância para a sua flor. Ela explica que a fragrância de uma flor é um pensamento perfumado de Deus que o espírito guardião atrai para a flor por meio de sua beleza inata. Isso faz perfeito sentido para você; nisso, a musa pula para fora da flor. Você e o seu anjo da guarda imediatamente a seguem.

A trilha agora passa por um riacho, e você admira como a luz se reflete na água corrente. O riacho começa a fazer música. As notas são doces e os pássaros se juntam em coro. Então, a beleza de um som faz você parar. Um coro de anjos está cantando, e tudo ao seu redor é parte da harmonia.

Começa a brotar do seu íntimo um som, que não é produzido pela sua voz, mas provém do coração. É uma melodia suave que se harmoniza com o coro à sua própria maneira peculiar. Você fecha os olhos e se aproxima mais da melodia que o seu coração canta. As notas dessa melodia são parte da grande sinfonia do céu, da dança cósmica, da canção do universo. A ressonância harmoniosa é tão pura que o seu ser vibra de bem-aventurança, até que você perde por inteiro os sentidos e cai nos braços do seu anjo da guarda.

Você desperta num espaço branco. Todo esse espaço é claro, branco. A musa está escondida em algum lugar desse espaço, e você olha para todos os lados tentando encontrá-la. Surgem de repente escadas de luz, e você vê a musa subindo por uma delas. Sem pensar, começa a fazer o mesmo. Enquanto sobe, percebe que os degraus estão formando uma gigantesca rede de raios de luz, cada um deles com uma cor pura dotada de matizes brilhantes que você nunca imaginou. Ao olhar mais de perto um raio de cor, você percebe que há anjos em todo ele. Segue o raio com os olhos e vê que ele vem de um ponto de luz lá em cima. Esse ponto de luz assemelha-se a um diamante infinito que reflete todos esses raios de luz colorida em direções diferentes mas certas. Um raio de luz parece estar atingindo o centro da sua alma. Trata-se também da sua cor favorita. Que sorte a sua! A sua luz colorida favorita está sendo refletida no centro do seu coração. Vem-lhe uma súbita descoberta: aquela luz é a sua própria parte da luz de Deus, e o seu reflexo dela vem de dentro da sua alma. Essa percepção provoca em você um estado de assombro, momento em que a musa aparece do nada e faz você voltar à cena da montanha.

A musa está olhando para você, e você vai ficando um tanto nervoso. Nesse momento, o seu anjo da guarda lhe diz que isso significa que você pode fazer mais uma viagem e que a musa está esperando para saber aonde levá-lo. Você percebe a distância um belo castelo que rebrilha como um pôr-do-sol. Como aquele parece um bom lugar para visitar, você o menciona e a sua musa ri. Ele ou ela está muito feliz em levá-lo a esse castelo e você está a caminho. Quando alcança o limiar da porta do castelo, vê uma placa no alto que diz: "Você está entrando no reino das idéias criativas." Isso é mais do que você poderia ter esperado e, ao entrar no castelo, descobre que a sua musa e o seu anjo da guarda ficaram lá fora e lhe dão um adeusinho. Você penetrou numa sala completamente vazia. A única coisa que pode ver é o espaço totalmente vazio. Tudo desapareceu. Há apenas o nada — um grande vazio.

Você se sente muito desapontado. Além de estar sozinho, esse lugar é como um vácuo — não há nada nele para se olhar ou experimentar. Os outros lugares que você visitou eram tão ricos e vivos, e agora aí está você em meio ao nada. Você gostaria de chorar, mas não está triste. Tenta sorrir, mas nada acontece. De súbito, uma centelha de luz surge na sua mente. Ela abre a porta que leva à sua imaginação, e você se dá conta de que é o instrumento, o co-criador. A fonte, o vazio, permanece assim até que um ser humano faça contato com a própria imaginação e use a energia através do seu sistema humano. Nesse momento, você se sente regenerado pelo nada. Ele se torna energia bruta esperando ser criada. Você gostaria de retornar à trilha, e o próprio pensamento o faz voltar ao ponto em que estava, tendo ao seu lado o anjo da guarda. O rosto sorridente da musa cintila diante de você e, dessa vez, *você* pisca com um brilho nos *seus* olhos e dá adeus — por agora.

Você retornou com bênçãos e privilégios. Torne-os reais na sua vida.

Parte Quatro

Fórum Angélico Sobre a Criatividade

Sobre a Parte Quatro

Somos todos mestres uns dos outros. Alguns de nós podem nunca ter consciência dos seus discípulos, ao passo que outros podem tê-la. Pedi a alguns amigos que estão vivendo a sua criatividade de maneira consciente que partilhassem os seus pontos de vista neste livro. Eu queria que isto fosse um fórum sobre a criatividade, destinado a permitir alguma discussão sobre o processo criativo que é peculiar em cada um de nós — porque somos seres ímpares e originais. Não estabeleci nenhuma regra a ser seguida pelos colaboradores. Eu apenas lhes disse por que queria que eles contribuíssem: para que outras pessoas fossem inspiradas a levar em frente a sua própria energia criativa e para que aquilo que elas tinham a dizer pudesse alcançar outros semelhantes que estão à beira de uma explosão criativa.

Os colaboradores desta seção não leram o livro antes de colaborarem, razão pela qual informo que cada um seguiu os seus próprios sentimentos e opiniões acerca da criatividade. Embora possa haver pontos de divergência, todos respeitamos a experiência uns dos outros. Em outras palavras, o fato de os colaboradores terem acedido generosamente em ser parte deste livro não significa que eles tenham de concordar ou de estar associados com tudo o que escrevo. Sou muito grata e fui inspirada pelas contribuições desta seção, e sei que você também o será.

Capítulo 8

Essa Vida Criativa!

Criatividade

K. Martin-Kuri

A questão da criatividade tem imensa importância para mim, não somente da perspectiva do meu trabalho como angelologista, como também da de um artista que pinta imagens do céu, de um poeta bissexto que faz versos espirituais e de um professor que busca explicar o funcionamento do universo. Duvido que haja alguma parcela da minha vida que não esteja intimamente ligada ao processo cotidiano da criatividade, tanto no nível pessoal como no profissional.

A criatividade pode ser mais bem entendida se nos lembrarmos da origem divina do processo de criação. Acredito que só exista um primeiro Criador que deu início a todas as várias dimensões da existência e que as hierarquias espirituais, ou seres angélicos, estão envolvidas com a manutenção e o desenvolvimento desse momento inicial de pensamento divino que levou à criação do nosso universo. Esses seres são os encarregados ativos dos vários céus e dos reinos da natureza aqui na Terra. E, é claro, os anjos estão envolvidos com muito mais, especialmente com a maior de todas as criações, a vida humana.

Há, no entanto, outro aspecto da criatividade que nos afeta e ao mundo em que vivemos. Podemos criar tanto a partir de um espaço sagrado da nossa consciência interior como a partir da porção mais baixa e atormentada de nós mesmos. Quando a nossa criação acontece a partir desse nível confuso, sem ter propósitos de expressão terapêutica temporária em termos particulares, ficamos sujeitos antes aos anjos da destruição do que aos anjos do amor e da luz.

Vem então a pergunta: como podemos criar a partir de um espaço sagrado em que os anjos de Deus sejam capazes de operar? Creio que, para fazê-lo, temos de alcançar um lugar de paz interior que estabeleça uma imobilidade, propiciando aos anjos as condições de nos fornecer a imaginação, as inspirações e as intuições divinas que buscamos.

Chegar a essa calma interior não significa cessar as atividades. Isso se traduz em começar a agir a partir de um nível de consciência que está acima do que costumamos consultar. Quando escrevemos um poema, isso significa que estamos abertos a um nível em que nunca vamos considerar se alguém compraria a nossa poesia ou mesmo se iria gostar dela. Quando não se cria partindo desse nível superior, o egoísmo e a ansiedade podem imiscuir-se no processo, fazendo que a mais pura ajuda disponível dos anjos venha a "esperar" até mais tarde. E um compositor precisa ouvir a música das esferas e transcrevê-la a partir de um nível de pureza sem que, enquanto isso, pense em como sua música poderá soar maravilhosa numa noite de estréia. Haverá tempo bastante para esses pensamentos *depois* de os anjos terem completado a sua inspiração.

O processo que recomendo é o seguinte: faça que a sua capacidade de imaginação entre em sintonia com a paz interior a que todos nós temos acesso; e, depois, *mantenha* esse lugar de paz interior que leva à experiência da imaginação divina. Se assim agir, o pincel poderá voar pela tela, a caneta se movimentar como um relâmpago e a mão que esculpe mover-se de um lado para outro moldando a argila. E, dentro de pouco tempo, a obra estará completa e você se sentirá radiante e enlevado, como se tivesse voado durante horas com os anjos de Deus.

Mas, se há problemas na vida, tire um tempo para acalmar a mente e as emoções antes de começar. Deixe de lado as preocupações ligadas à existência material. Preencha os seus pensamentos com a sacralidade da vida e esteja receptivo ao amor que vem dos reinos angélicos.

Como pintor, aprendi há muitos anos uma esplêndida lição nesse processo. Comecei a receber pedidos para pintar anjos da guarda ou imagens espirituais específicas que eram importantes para pessoas, grupos ou organizações. Às vezes, o processo se completava com rapidez e, em outros casos, podia durar até um ano. Havia, naturalmente, muito trabalho feito nos planos interiores com esse gênero de pintura. A razão dos atrasos era com muita freqüência o fato de as pessoas ou grupos ainda não estarem receptivos o suficiente para receber o novo impulso de luz prestes a entrar na sua vida por esse processo. Eles estavam por demais concentrados no mundo exterior, sem encontrar tempo suficiente para preencher os seus pensamentos com assuntos ligados à divindade. Eu sempre podia dizer que essa era a causa do atraso porque precisamente no momento em que essas pessoas ou grupos se mostravam receptivos às coisas do céu, eu podia começar a fase física de trabalhar com a tela ou com o papel. O caminho ficava limpo para que eu trouxesse de volta à Terra as imagens e cores do céu que os anjos queriam que eles recebessem.

Faz muito tempo que tenho consciência do fato de a vida ser realmente o maior teatro espiritual, no qual escolhemos tudo, dos papéis dos atores ao cenário. Os anjos podem ajudar-nos a aprimorar nossa criatividade no desenvolvimento do mais sofisticado teatro da vida, mas temos de buscar as mudanças no nosso livre-arbítrio. É muito comum que nos tornemos como atores que acreditam que as peripécias do palco são reais, e passamos a apegar-nos a ilusões. Então, nossa criatividade cessa de servir aos céus. O problema não é o uso da matéria ou das nossas deixas ao longo da vida. A dificuldade reside no nosso apego exagerado à matéria, fazendo-a preponderar sobre verdades espirituais interiores.

Há muito a minha recomendação tem sido a de que, se buscamos ser criativos ou ir além do conhecimento dos anjos, alcançando um lugar em que podemos trabalhar efetivamente *pelos* anjos em favor do céu, precisamos nos concentrar em qualidades espirituais que se revestem de grande importância para os anjos, atraindo assim a sua atenção e a sua ajuda de modo equilibrado. Poderíamos também lembrar as Três Graças, como as denomino, que podem agir como tinta para o artista, como pena para o escritor, como mãos para o escultor e como voz para o cantor. As Graças são os princípios criativos espirituais da verdade, da beleza e da bondade. Se sintonizarmos a nossa criatividade com um desejo egoísta de manifestar somente aquilo que reflita essas três qualidades, teremos acesso a domínios celestes que a humanidade mal pode imaginar. E, em acréscimo, os anjos nos darão assistência, trazendo para a Terra o mais sublime por meio do nosso processo de criação.

O mundo está pronto para ser transformado por nós se abrirmos as nossas almas para receber, ao mesmo tempo que criamos ativamente um vaso ou cálice que valha a pena, criado a partir dos ideais mais elevados. Os anjos de Deus efetivamente responderão. O primeiro passo consiste em apreciar novas perspectivas de expansão de impulsos criativos com a ajuda amorosa do nosso anjo da guarda.

K. Martin-Kuri pode ser contatado em Tapestry, P.O. Box 3032, Waquoit, MA 02536. Fone: 1 (800) 28-ANGEL.

Uma entrevista com Carlos Santana

feita por Terry Lynn Taylor

Terry Lynn Taylor: Antes de tudo, eu queria agradecer-lhe por todo o seu apoio ao meu livro e aos anjos. Meu novo livro trata da criatividade e do modo como os anjos nos inspiram a ser criativos. Por isso, estou pedindo a pessoas que levam vidas criativas a partilhar a maneira como os anjos as inspiram.

Carlos Santana: No ano passado, quando estava lendo o seu livro, comecei a perceber aquilo que você chama de sincronicidades angélicas, coincidências engraçadas. Eu estava com uma amiga e lhe perguntei se ela acreditava em anjos. Ela ficou bem quieta e disse: "Bem, acredito que há um Poder Supremo." E eu disse que esse Poder Supremo segura um candelabro e, na luz, estão Jesus, Krishna e Buda, mas que os cristais são os anjos.

Terry: Oh, adorei isso!

Carlos: E ela disse: "Oh, está bem." Eu queria que ela soubesse disso, pois eu podia dizer pelos seus olhos que ela é uma pessoa muito especial. Eu queria dar-lhe algo. Como disse Paramahansa Yogananda: "Dêem-nos pensamentos e idéias para mastigar o dia inteiro como goma de mascar — palavras e pensamentos que a nossa mente possa mascar."

Terry: Sinto que agora há muita esperança no planeta. Você concorda ou acha que as coisas estão ficando muito ruins?

Carlos: Oh, não, não! Eu de fato sinto que as coisas estão ruins para pessoas que acreditam que sem elas o mundo não pode ir em frente. Para elas, o mundo está no fim. Penso que, para pessoas que despertam pela manhã e mal podem esperar para fazer alguma coisa pelos outros — para elas o mundo está apenas começando. Para aqueles de nós que querem complementar a vida e servir, o nosso mundo está apenas começando.

Terry: Esse é um modo interessante de considerar a questão. Em algum nível, isso também tem que ver com a criatividade porque, se nos sentimos criativos, temos algo a dar, e ajudar os outros também nos dá uma razão para seguir em frente. Sei que a minha criatividade parece ajudar quando me sinto desestimulada. Vem-me a percepção de que tenho de fazer alguma coisa criativa, seja o que for. O que é para você a criatividade? Você acha que todo mundo é capaz de criar?

Carlos: Acho que a criatividade advém do acúmulo de bastante entusiasmo. Não há nada mais contagiante do que isso. Quando você está entusiasmado, pode prosseguir sem comer; você simplesmente vai em frente, e as pessoas querem ficar perto de você. Também acho que a criatividade vem do fato de se ter feito algum tipo de esforço para escutar a voz interior. Quando você faz isso, acho que você desperta o entusiasmo e a imaginação, que é visão. E acho que essas são as duas asas de que precisamos para voar.

Terry: Que coisa linda!

Carlos: Entusiasmo e imaginação...

Terry: Você sabia que *entusiasmo* significa "sopro divino"?

Carlos: É? Puxa! Quando eu estava lendo o seu livro, estava sofrendo de uma infecção auditiva. Eu estava realmente com tontura. Eu estava pensando no que havia de errado comigo. Tive sérios problemas de fuso horário quando estive na Alemanha e não conseguia dormir. Comecei a ler o seu livro, e estava lendo sobre o que significa ser curado e sobre a definição do dicionário, segundo a qual *curar-se* significa "ficar íntegro e firme". Então eu disse: "Íntegro e firme." Ler o seu livro me deu mais força e paz interior. Ele me deu a mensagem: "Você vai ficar bom." Então, quando descobri que tinha uma infecção no ouvido, fiquei aliviado por saber o que estava causando a tontura.

Terry: Assim, basicamente, você recebeu a mensagem universal que os anjos estão sempre tentando nos dar — que você vai ficar bom e que os anjos estão cuidando de você.

Carlos: Sim. Eles trabalham mais rápido do que os raios X e podem dizer-lhe imediatamente: "Está tudo bem. Você está bem."

Terry: Os anjos estão atuando na sua vida agora?

Carlos: Claro, eles contribuem para a minha compreensão de que somos todos supremamente importantes para Deus, mas que ao mesmo tempo há algumas pessoas que pertencem à categoria dos fusíveis. Por exemplo, na sua casa, você tem uma caixa de fusíveis. Todas as luzes são importantes em todos os cômodos mas, se o fusível queimar, a casa inteira fica às escuras. Assim, às vezes eu me vejo como um fusível.

Terry: Quer dizer, você criou esse impulso e tem de mantê-lo atuando porque está iluminando outras vidas.

Carlos: Certo. Assim, estou apenas reconhecendo que as coisas são dessa maneira e, ao reconhecê-lo, assumo a responsabilidade de pensar mais com o coração do que com a mente. Comprometo-me a dizer a mim mesmo: "Não, pense mais alto, pense com o coração." Nos últimos dois anos, tem sido bem mais fácil pensar, sentir, agir e racionalizar com o coração. Pego-me dizendo "Desculpe" com menos freqüência porque não piso no calo das pessoas. Não tenho de gritar para dar a conhecer os meus pontos de vista e espero para deixar que outros expressem os seus. Creio que as pessoas se convencem mais dessa maneira do que quando tento impor-lhes o que penso.

Terry: Então você está se comunicando de uma maneira bem superior.

Carlos: De maneira muito mais clara, de modo que as pessoas podem aceitar ou não o que digo.

Terry: Sua fama atrapalha a comunicação?

Carlos: Mamãe e papai foram bem rigorosos na maneira como me criaram, mas percebo que noventa e nove por cento disso tudo é graça de Deus e o outro um por cento é esforço pessoal. É uma bobagem dizer "Eu fiz tudo sozinho", como a música. Você pode se imaginar morrendo e indo para o céu cantando *I did it my way*? Os anjos a virariam pelo avesso.

Terry: Esse é um pensamento muito engraçado. Então você acha que a sua família é a sua fortaleza?

Carlos: Sim, porque eles oram por mim. Sei que minha mãe reza por mim e, para dizer a verdade, quando toco um solo no meu instrumento e estou no palco, fecho os olhos e sinto-me como um bebê no ventre de minha mãe. Quando minha mãe reza por mim, isso é para mim puro leite. Assim, isso me mantém estável, e também sei que as pessoas são flores, que a música é a água e que eu sou o regador. Logo, sei que não tenho de ter a preocupação de fazer a coisa acontecer.

Terry: Você simplesmente se dispõe a fazê-la.

Carlos: Eu me disponho a sair do caminho e dizer: "Senhor, se o Senhor quer que eu toque todas essas pessoas, tocarei." A preocupação é de Deus.

Sei que cada vez que vou a Paris o público fica completamente louco — é como uma experiência espiritual de duas horas, e você pode simplesmente senti-la. Preto ou branco, jovem ou velho. E isso simplesmente me faz perceber que a música é o que libera as pessoas a partir de dentro — do som. Isso me faz perceber que valemos mais do que a soma de tudo isso, e acho que a verdadeira música acontece quando alguém diz: "Fui àquele concerto e ele mudou a minha vida; aquelas três notas — quando você tocou aquelas notas, meus cabelos se arrepiaram e eu chorei e sorri."

Terry: Tem de haver alguma coisa nisso tudo. Com a música, creio que os corações podem de fato ser tocados e que surge a linguagem do coração. Você sabe quando está atingindo corações?

Carlos: Ah, sim!

Terry: Deve ser algo muito forte.

Carlos: Na verdade, às vezes parece que estamos subindo uma montanha. Quando pego o instrumento e sei que, se puser a minha mão na frente e os meus cinco dedos se tornarem um, o resultado vai acontecer. Você deixa as pessoas bem ativas. Sei que tudo aconteceu quando até a polícia está dançando — eles esquecem que representam a autoridade. Se você faz uma autoridade dançar — é quando sei que o espírito é avassalador —, é porque a música tomou conta de todos. É isso que tentamos fazer, na Alemanha ou no Japão.

Terry: Você não tenta, você faz. Acontece!

Carlos: Venho fazendo isso, pela graça de Deus, desde 1959, mas quando toquei em San Quentin, fiquei mais confiante no som. E em Jerusalém, quando hebreus e palestinos dançaram juntos no jardim do sultão. Em San Quentin, todos os prisioneiros — mexicanos, negros e brancos — ficaram para me ouvir. Eles me disseram que, quando B. B. King tocou ali, todos os brancos e hispânicos foram embora; só os negros ficaram. Mas o diretor me disse: "Não sei o que há com você, mas todos ficaram." No início, todos estavam de braços cruzados, como se dissessem: "Muito bem, *faça* alguma coisa para mim. O que você vai fazer?" Então os seus braços baixaram e eles começaram a se empurrar com o ombro. Dentro de pouco tempo, eram como garotos na caixa de areia. Então, obviamente, isso me deu muita confiança.

Terry: Então você soube que havia na sua música algo mais do que a pura técnica — que ela estava comovendo as pessoas. Isso é verdadeiro na sua música, e você de fato vence as barreiras culturais.

Carlos: É para isso que estou despertando, e acho que muita gente pode ter problemas com isso, mas acredito que a maioria aceitará. Creio que é realmente pré-histórico pensar em termos de bandeiras, de fronteiras e de divisões. Sei que se você e eu tivéssemos a oportunidade de viajar numa nave espacial e circundar a Terra por três dias, não veríamos bandeiras; veríamos um ventre, e nós todos somos os bebês. Assim, vamos jogar fora esse lixo de fronteiras e bandeiras, porque ao meu ver ele só serve para perpetuar a supremacia branca sobre os outros. Acho que precisamos ensinar às pessoas as coisas de que Bob Marley e Martin Luther King estavam falando. Cheguei ao topo da montanha e vi a totalidade do quadro e não há bandeiras lá. Você sabe que no começo das Olimpíadas, a cada quatro anos, todos dançam e gritam juntos, e as bandeiras não passam de um mar de cores — é assim que deveria ser.

Há muito a aprender também com os índios americanos sobre os anjos. Sobre certos princípios. Eu me envolvi de fato com eles e posso lhe dizer que, comparando com o que aprendi no cristianismo e no meu contato com um guru, entre 1972 e 1981, aprendendo sobre a filosofia oriental, descobri que a água mais limpa e mais espiritual vem dos índios americanos. Não há contradição aí. Com os cristãos e os muçulmanos há contradições — como o modo de tratar as mulheres. Em todos os nossos encontros, apaches ou cherokees, do Canadá ao Brasil, dizem que as mulheres sempre têm a última palavra. Isso foi dito por um guardião da sabedoria antiga e, pela maneira como ele se expressou, ficou claro para mim que as mulheres têm muita capacidade de compaixão. Precisamos ensinar compaixão. Estamos todos balançando no pêndulo entre o bem e o mal. Acho que há outra coisa que não experimentamos: fugir desse pêndulo. A primeira vez que me afastei dessa história do bem e do mal foi quando estive no Japão e fiquei muito doente, em 1981. Fiquei tão mal por três dias que não tinha energia para ficar irritado nem feliz, e foi a primeira vez que senti a verdadeira paz. Eu não tinha nenhuma energia para ser bom ou ruim. Pensei: "Oh, você se afasta do pêndulo do bem e do mal e encontra a compaixão." Acho que ainda não exploramos a compaixão tanto quanto deveríamos.

Terry: Concordo. Penso que é hora de ir além do bem e do mal, do certo e do errado.

Carlos: No ano passado — eu já tinha lido os seus livros —, fui atacado pela depressão e pela frustração. Despertei certa manhã em Colônia muito deprimido. Pensei: "Meu Deus, tudo está bem. Minha família é ótima, minha mãe e meu pai estão juntos há mais de cinqüenta anos. O que há de errado comigo?" E ouvi uma voz dizer: "Tome uma ducha e vá caminhar. Saia por aí." E eu disse: "Está bem." E fui dar uma longa caminhada — e, na Europa, eles de fato gostam de flores e jardins. De repente, eu estava diante de um belo jardim, vendo-me cercado de roxos e amarelos, e ouvi uma voz dizer: "Pare e olhe essas flores. A razão pela qual você não está feliz é o fato de não ter gratidão no seu coração. As flores são postas na Terra para lembrar as pessoas do que é a gratidão. Se você tiver gratidão, você terá felicidade. Caso contrário, pouco importa quem você seja — Howard Hughes ou Elvis Presley —, você não será feliz."

Terry: Acho que você tem razão: as duas coisas andam juntas.

Carlos: Mas a gratidão tem de vir primeiro. Senti-me tão embaraçado que disse: "Desculpe, Deus, tudo isso é parte da condição humana." Liguei para a minha mãe e disse: "Agora sei por que dizem para parar e sentir o aroma das flores; é por causa da gratidão." Se puder entrar no mundo da gratidão, você irá chorar lágrimas de alegria e dizer: "Obrigado, Deus, por me deixar respirar e participar desta obra sua."

A última vez que ouvi essa voz foi há umas duas ou três semanas. Alguém da CBS me ligou — e eu não estou mais lá — e disse que Julio Iglesias queria gravar uma das minhas canções, "Europa". Mas ele só gravaria se eu tocasse. Ora, você sabe, sou meio marginal, e nós temos um problema com o sistema. Eu simplesmente não me dou bem com o sistema. Ainda sou um *hippie* e não gosto de fazer as coisas certinhas. Então eu disse: "Esqueça; isso não vai acontecer." No jantar, mencionei isso à minha mãe. Eu disse: "Julio Iglesias quer gravar uma das minhas canções, mas disse que só o fará se eu tocar, e eu disse para ele esquecer." Pude perceber pelo silêncio de mamãe, que foi bem eloqüente, que ela não tinha gostado muito, mas ela não disse nada. Então fui jogar tênis depois de comer na casa dela; joguei a bola no ar para sacar e a bola não voltou mais. Tudo o que ouvi foi a voz dizer: "Quem lhe deu essa canção?" Eu disse: "O Senhor". E a voz disse: "Bem, por que você não me deixa fazer o que eu quero com a minha canção?" Eu falei: "O que o Senhor quer fazer com a sua canção?" E a voz disse: "Quero que você grave a canção com Julio e que todo o dinheiro que ganhar dê para as crianças de Tijuana. Você não precisa dele." E eu falei: "Ó meu Deus, está bem!" Liguei para todo mundo e fiz os arranjos necessários.

Tudo isso é para mim uma lição de humildade. Eu de fato me senti bem, porque, sem essa voz, a guitarra nem ficaria afinada e as pessoas iriam embora. Tenho de ser sábio e seguir a voz. Ela me trouxe até onde estou.

Terry: O que você acha que é o sucesso criativo?

Carlos: Sucesso criativo é fazer as pessoas rirem e chorarem e levá-las a aceitar uma realidade diferente sobre elas mesmas.

Terry: Você teve um ponto de mutação espiritual na sua música ou sempre esteve "conectado" espiritualmente com um poder superior quando toca?

Carlos: Eu sempre soube que causava impacto nas pessoas. Se me vissem tocando na rua, elas se viravam para ver, e não era por causa do volume do som. Mas, em 1967 e 1968, uma combinação de três pessoas me fez perceber as questões universais. Mahalia Jackson, Martin Luther King e John Coltrane. Eles foram os que disseram: Quem é você? O que está fazendo e para quem vai fazer o que pretende fazer? E eu disse: "Sou um filho de Deus, sou um músico, e vou tocar para Deus." Aprendi um monte de coisas. Aprendi que todos nós fazemos uma promessa ao Criador Supremo antes de sair do ventre materno. Dizemos: "Senhor, obrigado pela oportunidade. Prometo fazer o melhor para elevar, iluminar e transformar a consciência da humanidade." Essa é a promessa que todos fazemos.

Terry: Você acha que o nosso anjo da guarda sabe dessa promessa que fizemos quando viemos ao mundo? E você tem um ou mais anjos mantendo-o no seu caminho?

Carlos: Acho que há uma porção deles. É como uma árvore com muitos ramos e folhas, mas acho que a seiva é a mesma. É essa seiva que vai ajudar a árvore a vencer incêndios e secas nas florestas, e ainda dar flores. Procuro me identificar principalmente com a seiva, e não com a casca, tanto quanto posso.

Terry: Muitos pintores dizem que, ao começar um novo quadro, eles tentam afastar da mente velhas idéias e técnicas e pôr nela algo de novo. Você faz isso quando começa um novo álbum?

Carlos: Acontece de diferentes maneiras. Às vezes você ouve uma música num volume tão elevado que não consegue ouvir a mulher ou os filhos falando com você. Tudo o que você quer fazer é ir para o estúdio e gravar o som. É como quando uma mulher está grávida. É como dar à luz — o bebê tem de nascer.

Falando criativamente

John Harricharan

Precisamente às 5:43 da manhã, dois minutos exatos antes do meu despertador tocar, minhas pálpebras de repente se abrem. Inteiramente desperto, estendo a mão para desligar o despertador enquanto os primeiros raios nebulosos do sol da manhã anunciam o início — outro novo começo — de mais um dia glorioso. É da minha natureza acordar bem cedo. Para mim, a madrugada é uma das partes mais agradáveis do dia. A longa noite passou, e um novo dia anseia por partilhar a sua promessa. Julgo esses momentos iniciais do dia um tempo perfeito para os meus pensamentos e reflexões pessoais. Porque talvez seja essa a única parte do dia em que estou de fato sozinho. Alguém disse certa vez que a primeira coisa a fazer depois de acordar pela manhã é arrumar a cama e pensar no que fazer durante o dia. Às vezes é muito mais fácil arrumar a cama. Assim, tendo arrumado a cama, tomo um banho, visto-me e vou à cozinha para saborear minha primeira xícara de café quente. Esse é o ritual da maioria das minhas manhãs, ritual que considero um agradável e vigoroso alicerce sobre o qual erigir o resto do meu dia.

Tal como ocorre com a maioria das pessoas nesta década, tenho uma vida agitada. Mesmo assim, sempre encontro tempo para o que é importante para mim. Todos dispomos da mesma quantidade de tempo, e aprendi que o que faz toda a diferença não é o montante de tempo que temos, mas a nossa percepção do tempo. Se aprendermos a reduzir um pouco a velocidade da nossa vida, a permitir a nós mesmos uma "procrastinação criativa", descobriremos que a nossa mente parece mais perspicaz, que as idéias parecem fluir com mais suavidade e que ficamos mais felizes.

Não se trata de algo conseguido da noite para o dia. Os velhos hábitos são muito resistentes. Não chegamos ao ponto em que estamos de uma só vez. Sempre aos poucos, sempre deliberadamente, por razões que nós mesmos podemos não compreender, criamos a realidade que vivemos hoje. Por estranho que pareça para muitas pessoas, o nosso ambiente e as nossas experiências são o resultado das nossas crenças, e estas são simplesmente as idéias que consideramos verdadeiras. Se não gostamos das nossas experiências atuais e se as nossas experiências resultam das nossas crenças, segue-se que podemos mudar nossas experiências a partir da alteração das nossas crenças. Para fazê-lo, temos antes de descobrir que crença são essas. Aqui está o problema. De modo geral, nossas crenças são invisíveis, sendo por isso necessário um esforço consciente para que nos tornemos capazes de descobrir, examinar e modificar aquelas que não são benéficas.

De manhã cedinho, sentado à mesa da cozinha, com os dedos em torno de uma fumegante xícara de café, posso olhar pela janela e ver o começo de um dia todo novo. Na imobilidade da manhã, pareço estar mais consciente de quem sou. Vejo-me mais equilibrado, mais pacífico, mais alegre. É nesses momentos que reúno todas as minhas energias para o dia que me espera. No decorrer desse período, as idéias me ocorrem com mais rapidez. Talvez, enquanto observo as pombas voando entre os pinheiros em busca do desjejum, eu me lembre de outras épocas e de outros lugares e sinta-me tranqüilizado, de modo estranho mas amoroso, pela idéia de que, bem antes de as montanhas e as árvores existirem, eu existia, e de que, bem depois de elas se irem, eu não deixarei de existir. Porque somos todos parte da criação e co-criadores ao lado do Criador.

A criatividade em si não fica relegada a nenhuma parte especial do dia. Sinto-a como algo profundamente pessoal. A meu ver, sou mais criativo nas primeiras horas da manhã. Brad Steiger, autor de mais de cem livros, disse-me que escreve melhor tarde da noite. Deepak Chopra, autor do famoso *Quantum Healing*, admitiu que pensa e escreve melhor em aeroportos e aviões. Foster Hibbard, sócio do falecido dr. Napoleon Hill (autor de *Think and Grow Rich*) e presidente da Motivation Dynamics, Inc., disse-me que dá preferência à manhã para os seus esforços criativos. Ouvindo o seu eu interior, você descobrirá o melhor momento de sua agenda diária para recorrer à sua fonte criativa.

E. M. Forster, autor de *Room With a View* e *Howard's End*, escreveu: "No momento da criação, o homem é tirado de si mesmo. Ele faz descer, por assim dizer, um balde em seu subconsciente e retira algo que em geral está fora do seu alcance. Mistura isso com as suas experiências normais, e é a partir dessa mistura que produz uma obra de arte." Os principais inimigos da criatividade são os demônios gêmeos do medo e da dúvida. Nosso problema não são propriamente o medo e a dúvida, mas a maneira como tratamos deles. Fugir ou negar que temos medo só faz piorar a situação. O melhor modo de lidar com o medo é enfrentá-lo. E como o enfrentamos? Acreditando que sempre há debaixo de nós uma rede de segurança.

Altere o seu sistema de crenças para incluir um mundo amigável em lugar de um mundo ameaçador e, como mudarem as suas crenças, assim mudará o mundo. Tudo o que você diz, tudo o que faz e tudo o que vê ao redor é resultado daquilo em que você acredita. Quando os povos pré-colombianos acreditavam que o mundo era plano, ele assim se tornou para eles, que agiam como se ele fosse plano. Quando acredito que sou uma vítima de injustiças passadas e que o mundo é um lugar hostil, ele se torna assim para mim. Quando eu acreditava que era somente cientista e homem de negócios e que escrever livros estava além da minha capacidade, nem uma palavra saiu da minha pena. Contudo, quando mudei essa crença e percebi que tinha a capacidade e a responsabilidade de partilhar por escrito com o mundo alguns dos meus pensamentos, produzi o livro premiado *When You Can Walk on Water, Take the Boat* seguido por sua continuação *Morning Has Been All Night Coming.**

Pessoalmente, sei o que é lhe tomarem o carro de volta, ver minha esposa morrer de câncer, ver amigos e familiares se afastarem de mim enquanto murmuravam toda espécie de rumores vis contra mim, perder todas as posses terrenas e começar outra vez do zero. Se eu preferisse acreditar nas injustiças da vida, eu por certo teria boas razões para isso. No entanto, também sei como é aparecer no mesmo livro com Sua Majestade Real o Príncipe Philip da Inglaterra, Paul e Linda McCartney, o Dalai Lama e outras personalidades da mesma projeção; escrever um livro premiado; ter dois belos e responsáveis filhos e uns poucos amigos amorosos. Além disso, sei o que é sentar na varanda, exposto ao frescor da noite, e observar os esquilos apostando corrida nas árvores no fundo da minha casa. Esses contrastes trazem à nossa vida compaixão e sensibilidade.

Assim, qual é o significado da vida? Na realidade, a vida não tem sentido. Nós, você e eu, é que damos sentido à vida. Acaso o universo me deve um modo de ganhar a vida? Não. Eu devo ao universo uma vida. Qual é o meu propósito na vida? É dar vida gloriosamente e ao máximo, levar esperança e alegria a todos os que cruzam o meu caminho. Em suma, o meu propósito é deixar uma marca no mundo, deixar esta Terra e os seus habitantes um pouco melhores pelo fato de eu ter estado aqui.

---

* *Mesmo que Você Possa Caminhar sobre as Águas, Tome um Barco* e *A Manhã Só Veio Depois de Uma Longa Noite*. Publicados pela Ed. Pensamento, São Paulo, 1994.

Leve a vida com alegria, aprenda a confiar no seu Deus e em si mesmo. Pratique o amor, pois amar é da nossa natureza. Pratique o perdão, não porque os outros mereçam que você os perdoe, mas porque você perdoa. Reconheça que você está seguro nesta vida e que o fiel da balança do universo se inclina a seu favor. Agradeça por tudo o que tem e por tudo o que espera ter e fazer. Viva a vida no presente, um dia glorioso de cada vez, sem gastar muito tempo lamentando o passado ou tentando imaginar o futuro. E, por fim, dedique algum tempo, casualmente, para ouvir os pássaros cantar, sentir o vento nos cabelos ou apenas testemunhar as nuvens correndo umas atrás das outras nas colinas distantes.

Criando sempre

Linda Kramer

Quando eu falava com Terry Lynn Taylor sobre os prazos de *Os Anjos — Inspiradores da Criatividade*, ela me perguntou gentilmente se eu gostaria de escrever para o livro algo sobre "minhas idéias sobre a criatividade". É fácil, pensei, e concordei. Por que então ficou tão difícil quando me sentei para escrever isto?

A resposta logo apareceu quando deixei que a minha mente vagasse à vontade. Porque eu queria que o que eu dissesse fosse "bom", tocasse a vida das pessoas e contribuísse em algo para ajudar aqueles que dedicassem alguns minutos a ler o que eu tinha a dizer. *Eu queria que o meu público me aprovasse.*

Mas, e se os meus pensamentos sobre a criatividade não fossem profundos e nem mesmo muito interessantes? Então veio-me a idéia. Criar é algo que fazemos o tempo todo. E naquele exato momento eu estava criando uma razão para não pôr no papel as minhas idéias.

Todos temos a tendência de limitar a palavra *criativo* a descrever atos *específicos* de criação, como escrever, pintar, dançar ou representar. Mas nós é que limitamos a palavra. A maioria de nós só se considera criativa se criar um produto, algo que possa ser mostrado ao mundo e considerado valioso. Mozart morreu na miséria e Vincent van Gogh nunca vendeu um quadro em vida, mas eles e milhões de pessoas de quem nunca ouvimos falar criaram valores. Na verdade, não há como escapar à nossa criatividade, nem à responsabilidade e ao poder pessoal que a acompanham.

Todos estamos criando a nossa própria vida em todos os momentos com tudo aquilo que pensamos, dizemos, acreditamos e escolhemos. A diferença no resultado reside no fato de criarmos a partir do nosso eu autêntico, com uma sensação de despreocupação, de amor e de felicidade (criar positivamente), ou criarmos a partir do nosso eu personalizado, com base num sentimento de obrigação, de medo ou de necessidade de controlar (criar negativamente). Admitamos ou não, somos todos criativos, e criar é uma parte necessária da existência no plano terreno.

Na minha vida, quando crio resultados indesejados, com freqüência não compreendo por que, ou mesmo que fui responsável. Eu costumava culpar um mundo que não cuidava de mim ou um amigo ingrato. E então aprendi que não se pode fazer, pensar e dizer a mesma coisa e esperar que o resultado seja substancialmente diferente. Ah! Um momento de verdade que me modificou para sempre.

Descobri que podia interpretar os milhares de estímulos que bombardeiam o meu sistema sensorial, tanto do interior como do exterior, de maneira a criar algo novo. Posso escolher, posso ter preferências, bem como posso permitir que essas preferências atuem na minha vida a cada momento.

Assim, faço cada vez mais o que me deixa feliz, o que faz que eu me sinta bem. Tendo isso em mente, crio mais valor. Só convido amigos para jantar se de fato eu quiser vê-los. E, então, reservo o tempo de que preciso para fruir a preparação da comida, a escolha da música e de algumas flores para a mesa. Se quero ver alguém e não tenho muito tempo, peço comida no restaurante — sem desculpas. É o melhor que posso fazer no momento.

Se uma conversa começa, e posso perceber que já tive essa conversa antes e não quero repeti-la, peço desculpas e paro. E então crio para mim algo que eu quero. Crio um espaço para meditar, molho as minhas plantas ou escrevo um artigo para Terry Lynn Taylor. Crio algo diferente, a que dou preferência, e que me deixe feliz.

Quando meu marido e eu escolhemos um livro para publicar, nunca o fazemos porque ele dará dinheiro. Nós o escolhemos porque gostamos dele, o consideramos valioso e queremos partilhá-lo com os nossos amigos no mundo. Nesse sentido, somos editores amadores. Disseram-me que o significado da palavra *amador* é "alguém que ama". Assim, sou feliz por ser uma amadora. Com a ajuda dos anjos, espero continuar a sê-lo.

Comentários e um poema por uma dançarina

Kleopatra Mishelle Leeds

Kleo enviou as colaborações a seguir, manuscritas de forma bela num papel delicado, dentro de um envelope incrivelmente bonito.

Parece-me que toda a minha vida tem sido uma dança. A princípio e por um longo tempo, a dança foi de prazer e de tranqüilidade. Ela era cheia de rígidos passos errados desconjuntados, de raiva e de incerteza. A dança do prazer e da tranqüilidade está sempre procurando um parceiro; ela é compulsiva e obsessivamente repetitiva.

Nos últimos tempos, comecei a aprender uma nova dança — a dança da alegria. Abracei a dança e tornei-me alegre. Foi então que os passos me tiraram da co-dependência e me conduziram para a independência.

A dança da alegria tem os passos seguros e vem das profundezas da alma. Ela não precisa de parceiro, mas atrai com facilidade o parceiro certo.

Peça-me: Uma Canção Angélica

Peça-me para barrar a grande maré do oceano;
Peça-me para parar o curso de prata da lua;
Peça-me para abençoar os cegos com visão clara;

Peça-me para banir da noite toda escuridão;
Peça-me para curar as feridas do mundo;
Peça-me para encontrar a doce pérola da ostra;
Peça-me para viver sem água ou ar;
Peça-me para cortar a respiração ou os cabelos.
Mas jamais me peça para deixar de amar você,
Porque essa é a única coisa que eu nunca poderia fazer.

Sobre criatividade e espiritualidade

Abigail Lewis

O que é, afinal, a criatividade? Nossa cultura dá-lhe uma definição limitada que parece restringir-se em especial às artes. Eu adoro as artes. Tenho sido atriz, cantora, dançarina e escritora. Em todos essas atividades criativas, tenho me sentido mais feliz e mais ativa quando o meu trabalho vem do meu verdadeiro ser.

O meu corpo é um veículo para o meu verdadeiro ser, um veículo que deve estar em boa ordem para desempenhar suas funções. Entretanto, ele não é o meu verdadeiro ser, por mais que eu o invista da responsabilidade pelo meu bem-estar. Meu desempenho, aquilo que escrevo e as minhas composições musicais não são o meu verdadeiro ser, mas o produto dele. Então, qual é o meu verdadeiro ser, a ignição, o motor de partida, o contexto? Que mais existe senão o espírito, manifestando-se como talento ou capacidade?

A criatividade está disponível — assim como o espírito — a todo momento e em todo aspecto da vida, mesmo quando dormimos. Certa feita, despertei tendo na consciência um soneto claríssimo e perfeito com os seus catorze versos. Ele era tão nítido que tive a certeza de não precisar acordar por inteiro para registrá-lo no meu diário. Claro que, pela manhã, ele havia desaparecido, mas ainda assim estivera presente. Foi isso a minha criatividade? Ou o espírito falando através de mim? Serão criatividade e espírito a mesma coisa?

Acordo pela manhã e faço escolhas que moldam o meu dia. Terei uma aula de ioga bem cedo, encontrando o meu eixo para o dia, ou dormirei até mais tarde, descansando mais (e, portanto, ficando mais concentrada) para o dia? Tomarei chá primeiro, bebendo-o calma e contemplativamente, ou acordarei minha filha e o tomarei ao lado de sua cama enquanto ela boceja e se espreguiça? Vou me queixar com meu companheiro sobre a louça suja da noite anterior ou lhe darei um beijo amoroso? Permitirei que a minha filha coma cereais comerciais adocicados ou faço um mingau de aveia para ela?

Creio que criar a minha filha é um tremendo desafio à minha criatividade. Imagino quantos de nós têm um sentido real do que significa ser um participante ativo — um co-criador — na formação de outra vida humana. O espírito não discrimina em termos de raça, de sexo ou de estabilidade emocional. Mas, se instilarmos em nossos filhos uma apreciação do espírito e a boa vontade de vê-lo emergir, acredito que lhes damos uma enorme vantagem na vida.

Vejo-me falando sobre o espírito e fico a pensar se pareço uma fanática. Há tantas interpretações dessa palavra e desse conceito! Se eu tivesse de me associar a alguma das "grandes religiões do mundo", acho que as minhas crenças se aproximam mais do Budismo. Acredito que há uma Grande Mente por todos partilhada e uma pequena mente que pertence ao indivíduo. A ciência hoje diz que todas as criaturas vivas partilham de fato o ADN, razão por que partilhamos não só a mente como também o físico. A sua expiração é a minha inalação, quer você tenha ou não escovado os dentes. Temos tanto em comum com o Dalai Lama quanto com Saddam Hussein.

Talvez o espírito esteja contido na Grande Mente. Ou estará a Grande Mente contida no espírito? Estará tudo no ADN ou este é um mero veículo da Grande Mente? Pediram-me que escrevesse sobre criatividade e espiritualidade, mas tudo o que posso conseguir são perguntas.

Uma verdade está perfeitamente clara. Quando me sinto mais livre, fluindo com a minha criatividade, fico voando. É uma experiência criativa, de saída do corpo, que usa o meu corpo para se comunicar. A pequena mente e o ADN abrem alas para permitir esse livre fluxo. O maior desafio à minha criatividade consiste em dar espaço para permitir que o espírito seja as minhas asas.

Ensinando com os anjos

Maureen Hicks

Despertar o coração, a mente e a alma dos jovens tem sido a minha missão há dezessete anos. A profissão de educador nos dá a liberdade de expandir os horizontes para as crianças. As escolas refletem a nossa sociedade. Há abundante oposição à aprendizagem no plano da economia, das pressões sociais, dos meios de comunicação, do cinema e da televisão — todos despreocupados com as coisas boas que as nossas crianças merecem. Quando entro na minha classe, sei que ela é um lugar mágico; é dinâmica e segura.

Minha alegria tem sido ministrar aulas que desencadeiem a criatividade nas crianças. A redação criativa tem sido um meio de expressão muito necessário para o desenvolvimento interior dos meus alunos. Dei uma aula em que ensinei às crianças sobre todo tipo de fadas, como elfos, duendes, gnomos, a fada dos dentes, a fada-madrinha e os países de origem dessas fadas na literatura. Foi muito divertido ler histórias e poemas sobre fadas com elas. Meu objetivo era dar-lhes subsídios para que escrevessem suas próprias histórias sobre fadas. Enquanto as crianças liam um texto que resumia o processo de escrever, fui sorrateiramente para a classe ao lado. Pus depressa um velho vestido de noiva sobre a minha roupa "vestida para o sucesso". Enfiei uma coroa na cabeça, peguei minha varinha de condão e voltei à sala.

Meus alunos da quinta série ficaram maravilhados com a minha beleza! Peguei uma caixa de confete prateado na minha escrivaninha e disse às crianças que naquele momento elas ficariam prontas para escrever. Eu ia derramar sobre elas o pó das fadas, que libertaria a imaginação e as ajudaria a escrever as histórias mais encantadoras. Elas escreveram histórias dignas de publicação. A beleza dessa situação está na maneira como as crianças reagiram ao despertar da minha criança interior.

Tenho tido um grande número de exemplos em que os anjos derramaram milagres sobre a minha classe:

- Certa vez, pedimos pizzas para a classe. Quase não tínhamos dinheiro suficiente, mas de repente um dos pais enviou cinqüenta dólares.
- Quando tenho de lidar com problemas de comportamento, peço a orientação dos anjos para me comunicar de modo eficaz.
- Um dia em que me sentia solitária, uma criança me levou flores.

As dádivas vindas dos anjos são sempre criativas. Quanto mais nos tornarmos conscientes das suas dádivas, que estão dançando ao nosso redor, tanto mais criativos seremos.

Elevado pelos anjos

Marty Noble

Meus quadros e desenhos buscam levar o observador para outro mundo, para a realidade ideal que estamos tentando alcançar e que está na qualidade integrada da natureza e do espírito.

Embora sejam as de um romancista, cheias da maravilha da natureza e de sonhos, minhas imagens também são muito reais e têm um forte desejo de se expressar.

Enquanto me esforço por alcançar a luz, a minha arte faz o mesmo, embora pareça que a arte sempre está alguns passos à minha frente, o que me dá um grande incentivo.

Embora eu às vezes tropece neste mundo, minha arte é criada e permanece afastada das dificuldades do mundo. Encontro grande consolo no meu estúdio. Esse ambiente tem um efeito de concentração, lembrando-me de que neste plano — o criativo local de trabalho — tudo está em ordem. É como dirigir-se a um altar para meditar ou procurar um amigo para partilhar o que é importante.

Desde que comecei a retratar imagens de anjos, tenho encontrado um novo encanto no meu processo artístico. Não há como negar que os anjos nos elevam. Sinto-me enlevado e "suavizado" enquanto retrato anjos na sua maneira cuidadosa de ser. Sempre gostei de pintar mulheres, e pintar anjos é uma maneira de expressar as mesmas qualidades femininas do amor, da devoção e do cuidado no seu mais alto grau. Sinto-me feliz por poder contribuir para o movimento de conscientização angélica.

O caminho espiritual da criatividade

Laurel Savoie

Quando criança, freqüentei escolas católicas e aprendi sobre o meu anjo da guarda, e até recitava a Oração do Anjo da Guarda toda noite antes de me deitar. Entretanto, uma vez que cresci, o relacionamento que eu antes tivera com o meu anjo desapareceu, junto com a fé e a confiança que eu sentira na religião católica.

Graças a Deus, nossos anjos nunca desistem de nós. Antes de me dar conta, eu estava prestes a descobrir a verdade que transcende o dogma e as pequenas parcelas de informação que a religião organizada nos revela. Senti que estava sendo guiada em cada passo do caminho.

Além disso, enquanto crescia, eu me envolvi muito com as artes. Canto, dança, representação e, finalmente, composição musical. Antes de escrever uma canção, eu meditava, pedia para ser inspirada e repetia afirmações positivas para ajudar o processo de composição. Esse método mostrou-se muito bem-sucedido para mim, e eu percebi como são grandes os vínculos da criatividade com a espiritualidade.

Descobri que a minha prioridade não era o trabalho em tempo integral como atriz para reforçar o meu ego, ou a carreira de apresentadora, que pode ser todo-abrangente, mas a minha evolução espiritual e o relacionamento aprimorador com o meu marido. Além de todo o apoio que meu marido e eu estávamos recebendo do reino espiritual, nós de fato nos ajudávamos mutuamente nesse processo de crescimento.

Um verdadeiro ponto de mutação nessa aventurosa trilha foi tomar conhecimento dos ensinamentos dos Mestres Elevados, da minha Presença no "EU SOU" e da Personalidade de Cristo Senhor, bem como ser reapresentada ao reino angélico e aos anjos da guarda, nossos "mensageiros pessoais de luz". Antes de ir dormir, eu pedia ao meu anjo da guarda que me levasse para um dos retiros dos Mestres, tal como o Royal Teton, durante as horas de sono. Dizem que o trabalho de uma mulher não acaba nunca. Bem, o nosso anjo da guarda nunca dorme e faz com alegria o que lhe pedimos, porque o serviço é a razão da sua existência.

Tendo como principal prioridade a minha vida espiritual, eu ainda tive a oportunidade de cantar profissionalmente. E quando ia cantar, antes orava e pedia a Deus que abençoasse e inspirasse o público por meu intermédio. Todas os fatos estavam se fundindo num só. O mesmo se aplicava à representação; cada vez que ia representar, antes de ouvir a palavra "ação" ou a contagem regressiva antes de entrar no ar pela TV, eu dizia silenciosamente para mim mesma: "EU ESTOU representando este papel e que ele possa ser perfeito."

Nos últimos dois anos, senti um forte impulso de aprender mais acerca dos anjos, de desenvolver uma maior relação com eles e de ter maior intimidade com esses incríveis "seres de luz". Bem, pedi e recebereis. Antes que me desse conta, eu estava assistindo a uma palestra de Terry Lynn Taylor sobre os anjos. Seu entusiasmo e amor pelo reino angélico foram altamente inspiradores, e eu progredi muito no desenvolvimento de uma união perfeita.

Eu também me envolvia cada vez mais com o ato de escrever e, mais uma vez, sempre que ia escrever, meditava e pedia orientação espiritual. Quando me convidaram para ser a capa de uma revista, preparei-me jejuando, meditando e rezando. No dia da foto, o quinto dia do meu jejum, senti-me bem disposta e concentrada e fiz o pedido especial de irradiar amor e luz para todos os que vissem a tal capa. Enquanto era fotografada, conscientemente, deixei que a luz penetrasse em mim, passasse por mim e circulasse ao meu redor. Fiquei muito satisfeita com os resultados desse processo.

Desde então, tenho mantido ativamente uma íntima relação com os meus guias espirituais e com os anjos. Dei um nome para o meu anjo da guarda, e o sinto como uma amiga íntima muito especial. É uma sensação maravilhosa ser amada incondicionalmente e saber que o seu anjo da guarda tem sido leal com você desde o primeiro dia e continuará a estar com você por toda a sua existência.

Sinto-me muito bem por ter revivido e criado um relacionamento pessoal com os meus amados amigos angélicos. Cabe a nós criar o céu na Terra. Para a nossa felicidade, não estamos sozinhos neste empreendimento. Os anjos estão aqui para nos dar toda espécie de assistência imaginável a fim de nos ajudarem a realizar o plano de Deus.

Deus, anjos, amor e outras coisas prodigiosas!

Ann Van Eps

Tenho pintado intensamente nos últimos cinco anos. Não tenho treinamento artístico formal, pelo menos no sentido convencional. Todo o meu aprendizado artístico, exceção feita a algumas aulas no colégio, deu-se de modo deveras incomum.

Começou com um episódio em que senti fisicamente como se tivesse sido golpeada por uma bola de luz. Eu acabara de me deitar para dormir. O quarto estava totalmente às escuras, meus olhos estavam fechados e eu começava a relaxar. Eu estava pensando em como gostaria de estabelecer contato com a minha Superalma. (Não uso mais o termo Eu Superior, porque isso implica a existência de um Eu Inferior espreitando em algum lugar!) Sinto que, sendo nós fragmentos de Deus, o nosso vínculo com Deus, com a nossa Superalma, com os anjos e com todas os outros aspectos divinos é feito de amor. Então, nessa noite, imaginei que o amor que sentia no coração pela minha Superalma poderia ser comparado com um farol. Talvez mesmo com um farol de luz. Imaginei esse belo farol de amor e luz emanando do meu coração e dirigindo-se ao cosmos. Nesse ponto, aconteceu algo inesperado. Senti-me fisicamente atingida por uma bola de luz. Ela me atingiu em todo o corpo, e nesse momento senti mais energia amorosa incondicional do que em qualquer outro momento da minha vida até então. Eu senti que estava flutuando em gigantescos colchões de luz amorosa.

Depois dessa noite, todas as portas e janelas da minha casa se abriram para a minha Superalma e para os meus amigos divinos. Comecei a ter sonhos muito vívidos de imagens coloridas e tive vontade de representar plasticamente os meus sonhos, mas não queria passar anos freqüentando uma escola de arte. Eu estava receptiva a tudo o que a minha Superalma quisesse de mim. Recebi em meus sonhos instruções detalhadas sobre como pintar e que técnicas usar.

Também reproduzo as instruções enquanto pinto. Percebi que, no estado intermediário entre o sono e a vigília, e no estado onírico, devo ser uma aluna ideal. Nesse estado, fico muito aberta e receptiva, a ponto de parecer que a informação é gravada na minha consciência. Mais tarde, quando ponho a informação em uso, parece que sempre a conheci. O fluxo de informações é um genuíno fluxo de amor e de excitação.

Os sonhos e visões continuam. Sempre estou com vinte ou mais quadros circulando na minha alma à espera de serem pintados. Quando trabalho, uso tinta acrílica, tela ou prancha para ilustrações, mas o maior e principal ingrediente que permito que flua para dentro das minhas obras de arte é o amor — quantidades imensas de amor. Por que eu? Por que não ensinar essas técnicas a alguém que já sabe pintar? Não sei a resposta. O que sei é que *permiti* que essa experiência acontecesse. Sei com certeza que a minha vontade de pintar é imensa. É uma parte de mim, como o respirar. O desejo de pintar me acompanha como a própria vida. Do mesmo modo, como *acreditei* que a minha experiência era possível, ela aconteceu. Creio que experiências como a minha estão ao alcance de todos. A meu ver, tudo o de que se precisa é admitir essa possibilidade na sua realidade. Acredito que há um vasto banco de criatividade e de conhecimento a que podemos ter fácil acesso se assim o quisermos.

Dei-me conta de que nos sentimos sozinhos quando não expressamos o que há no nosso íntimo. Quando conservamos pensamentos para nós mesmos, sentimo-nos isolados. Amo o mundo e quero fortemente ter intimidade com ele. Para ter intimidade com a humanidade, dispo a minha alma por meio dos meus quadros e partilho a minha arte com o mundo. Mantenho-me acessível como artista. Não me importo de dar o número do meu telefone e estimulo as pessoas a se comunicarem comigo, de modo que eu possa encorajá-las ou inspirá-las e receber o mesmo. Sou muito grata pelo meu dom e pela minha existência, bem como por Deus e por todos os anjos que me têm ajudado e guiado. Nunca deixarei de agradecer a Deus. Agradeço a Ele por ter tido a idéia de me criar e por acreditar em mim a fim de que eu possa me alegrar na minha existência como parte Dele. Quero ver Deus na minha arte. Quero pintar para Deus. Quero ser uma artesã celestial!

A criatividade e os ciclos naturais

Tim Gunns

A criatividade é uma função fundamental da natureza. A ordem natural dos acontecimentos é cíclica. A referência bíblica a esse fenômeno está em Eclesiastes 3:1-8, onde aprendemos do sábio rei Salomão que tanto a história como a natureza se movem num círculo, têm caráter cíclico, são um círculo em eterno movimento e repetição. Tudo no universo físico faz parte de um ciclo. Nasce, cresce, amadurece e morre, e sua essência renasce. Com a astrologia, podemos estudar esses ciclos de desdobramento e aprender a trabalhar com eles.

Desde o começo dos tempos, os seres humanos vêm acreditando que Deus existe, ou vive, lá em cima no céu, assistido por uma corte de seres espirituais, os anjos, que supervisionam as várias fases da evolução cíclica; assim, o céu sempre foi considerado sagrado.

A Terra completa um ciclo, ou evolução, em torno do Sol a cada 365 dias (criando a ilusão óptica do oposto, de que o Sol gira em torno da Terra), ao longo de um caminho por uma estreita faixa do céu conhecida como a eclíptica, ou anel zodiacal, que permite a subdivisão dos céus nos doze signos do zodíaco com que a maioria das pessoas hoje tem familiaridade.

O Sol aparece superposto a cada signo zodiacal, ou *signo solar*, por mais ou menos um mês durante o seu ciclo anual (na verdade, o ciclo da Terra). Quando falamos de signos solares, referimo-nos na realidade às qualidades essenciais inerentes em uma fase particular da órbita da Terra em torno do Sol.

A "essência" de cada signo solar zodiacal é personificada por certos anjos supervisores, que podem ser usados para dar assistência aos seus esforços em qualquer empreendimento.

O ciclo sazonal

As mudanças sazonais são o cerne do simbolismo dos signos solares. Na realidade, a astrologia se baseia nas estações. Todas as mudanças sazonais ocorrem quando o Sol entra no que se denomina signo cardinal ou iniciatório, passando a tarefa de proteção da estação (numa espécie de "mudança da guarda" angélica) a um arcanjo particular superiluminador que pode ser chamado a dar assistência.

Passamos pelas estações devido a um desvio de 23,5 graus no eixo da Terra. Por causa dessa inclinação, o Sol parece viajar (da nossa perspectiva geocêntrica) 23,5 graus para o norte e para o sul da Linha do Equador no decorrer do seu ciclo anual.

A primavera, o equinócio vernal, é o corpo do ciclo natural (isso no hemisfério norte; seria o equinócio de outono "lá embaixo"). No equinócio vernal, o Sol cruza a Linha do Equador, dirigindo-se para o norte. Equinócio significa dia e noite iguais ou igual quantidade de tempo diurno e noturno. A partir desse ponto, os dias ficam maiores e as noites, menores.

O Sol alcança o seu ponto boreal máximo em sua órbita de 23,5 graus norte no solstício de verão, num ponto conhecido como Trópico de Câncer. Solstício significa um período em que o Sol parece estar parado no céu nos seus pontos máximos, conhecidos como os trópicos. Agora os dias começam a se "encurtar" e as noites, a se alongar. No equinócio de outono, quando o dia e a noite voltam a ser iguais, o Sol de novo cruza o Equador, rumo ao sul.

O solstício de inverno ocorre quando o Sol alcança o seu ponto austral máximo em sua órbita de 23,5 graus sul, pairando sobre o Trópico de Capricórnio, antes de rumar para o sul outra vez, voltando ao Equador e anunciando o equinócio vernal, o retorno da primavera e o começo de um novo ciclo de experiência terrena.

Estação	*Ponto cíclico*	*Signo solar*	*Arcanjo superiluminador*
Primavera	Equinócio vernal	Áries	Rafael
Verão	Solstício de verão	Câncer	Uriel
Outono	Equinócio de outono	Libra	Miguel
Inverno	Solstício de inverno	Capricórnio	Gabriel

Quadro dos signos solares

Signo solar	*Datas*	*Palavra-chave*	*Convoque o anjo de*	*Para inspirar*
Áries	21 de março a 20 de abril	Eu sou	Poder e autoridade	Coragem
Touro	21 de abril a 21 de maio	Eu tenho	Compreensão espiritual	Abundância
Gêmeos	22 de maio a 21 de junho	Eu penso	Relações de amor	Responsabilidade
Câncer	22 de junho a 23 de julho	Eu sinto	Vitória e triunfo	Força emocional
Leão	24 de julho a 23 de agosto	Eu quero	Força espiritual	Realização
Virgem	24 de agosto a 23 de setembro	Eu analiso	Discernimento	Percepção, Perspicácia
Libra	24 de setembro a 23 de outubro	Eu equilibro	Harmonia e Ordem	Autocontrole, estabilidade
Escorpião	24 de outubro a 22 de novembro	Eu desejo	Morte e renascimento	Rejuvenescimento
Sagitário	23 de novembro a 21 de dezembro	Eu vejo	Paciência e aceitação	Compreensão
Capricórnio	22 de dezembro a 20 de janeiro	Eu uso	Materialidade e tentação	Sucesso
Aquário	21 de janeiro a 19 de fevereiro	Eu sei	Serviço e síntese	Amor incondicional
Peixes	20 de fevereiro a 20 de março	Eu acredito	Imaginação e libertação	Criatividade, confiança

Como trabalhar com o ciclo lunar

As histórias populares referentes ao ciclo lunar incluem o seguinte:

- Na Lua nova, quando não vemos a luz da Lua, os anjos vão "para dentro" e ficam criativos.
- Na Lua cheia, os anjos saem, disseminando luz.
- A Lua nova acontece quando o Sol e a Lua se alinham no mesmo signo, no mesmo grau ou ponto zodiacal.
- Cada Lua nova ocorre em signos solares sucessivos, isto é, no próximo signo zodiacal na seqüência (o ciclo começa com Áries e termina com Peixes).
- Quando a Lua nova ocorre no seu signo solar, você ingressa numa época especialmente forte que apóia os seus empreendimentos criativos; ou seja, esse período pode proporcionar-lhe o impulso para iniciar novos projetos ou começos criativos. Você pode obter assistência adicional se conseguir a ajuda do anjo que "superilumina" esse período (veja o quadro na pág. 190).
- Entre Luas novas (um ciclo de vinte e nove dias e meio), a Lua passa por cada um dos doze signos solares ou setores zodiacais (um ciclo dentro de um ciclo), permanecendo cerca de dois dias e meio em cada signo. Enquanto se encontra num determinado signo, a Lua absorve e reflete as qualidades e propriedades desse signo solar. Podemos requerer a ajuda do anjo que superilumina o período do signo solar.

O ciclo lunar compreende quatro quartos ou fases, que correspondem às estações:

Fase/Quarto	*Estação*	*Associada/o com*
Lua Nova	Primavera	Novos começos, iniciação, novas idéias, novo crescimento
Quarto Crescente	Verão	Crescimento e desenvolvimento adicionais, ajustes
Lua Cheia	Outono	Maturidade, complementação, realização, colheita
Quarto Minguante	Inverno	Retração, desintegração, reflexão, preparação para o renascimento

A humanidade tem trabalhado com sucesso com esses ciclos naturais e com os anjos superiluminadores ao longo das eras. Cabe a nós continuar a fazê-lo.

Leituras e referências adicionais

The Angels Within Us,* de John Randolph Price, publicado pela Ballantine Books.

Jim Maynard's Pocket Astrologer, de Jim Maynard, publicado anualmente por Quicksilver Prods.

Llewellyn's Moon Sign Book, publicado anualmente pela Llewellyn Publications.

Preste atenção às asas

Sally Allen

Você já sentiu uma motivação interior para de repente trabalhar com argila ou com outro material sem antes nunca ter tido habilidade artística? E o resultado final foi uma obra-prima? Você já acordou no meio da noite com uma informação muito profunda que precisava ser registrada? Conheço pessoas que, praticamente da noite para o dia, tornaram-se músicos completos a partir de um sonho. O "Advento da Era dos Anjos" está diante de nós, e, mais uma vez, os anjos estão atingindo muitas pessoas.

Eu acho que todos somos criativos. As pessoas que nunca realizam nada são aquelas que nunca perguntam e nunca exploram. A criatividade bem-sucedida envolve um constante desafio a si mesmo, e não o desafio aos outros. Preocupar-se com o que os outros estão conseguindo tira de você o tempo para encontrar fé na sua própria criatividade. Prestar demasiada atenção ao que fazem os outros afasta a possibilidade de ser

---

* *Os Anjos que Regem a Nossa Vida*. Publicado pela Ed. Pensamento, São Paulo, 1994.

original. Ser competitivo não é ser original, além de constituir perda de tempo.

Se você pedir, os anjos lhe mostrarão que ser criativo nem sempre se traduz em ser habilidoso no campo das artes. O amor pode ser criatividade empacotada e dada com especial carinho e devoção. A esperança é cuidadosamente mostrada com a força do Sol a nascer toda manhã e com uma visão estonteante das montanhas. Ser criativo é viver ao máximo e com liberdade.

Quando você se iluminar com o seu anjo da guarda, ele será sentido e visto não só por você como por outras pessoas. Sua criatividade se manifestará e a sua destreza se aprimorará. O ser criativo não tem como base o valor monetário que as pessoas parecem associar com o sucesso. O sucesso se baseia na alegria interior, que nem sempre pode ser vista, tocada ou sentida.

Muitas pessoas talentosas do passado, como Raffael Santi, que pintou os dois famosos querubins conhecidos como "os anjos de Rafael", continuaram ao longo dos séculos a proporcionar alegria, risos e amor. Sua continuidade com novos artistas, escritores, oradores e aspirantes, abençoa a mente de outras pessoas, ajudando a criar um planeta mais saudável e mais tranqüilo. A todos os que pensam que a criatividade é muito difícil ou que os seus desenhos, escritos ou dádivas de amor não são bons o bastante, asseguro que alguém em algum momento precisará dos seus talentos. Vá em frente! Lembre-se de que pode haver anjos voando na sua sala; preste atenção às asas!

Meu guru

Allan P. Duncan

Num dia de primavera de 1983, eu estava sentado num banco perto do lago do Mill Creek Park. Eu estivera tentando escrever poemas, mas por alguma razão a seiva criadora simplesmente não estava fluindo naquele dia e eu acabei ficando frustrado e irritado. Detesto perder tempo e por isso fiquei imaginando o que poderia fazer para tornar a minha visita proveitosa.

Há vários anos eu estava envolvido numa intensa busca espiritual. Eu queria encontrar o sentido da vida. Queria encontrar Deus. Ansiava por me tornar uma pessoa melhor e dar à sociedade uma contribuição maior. Eu lera centenas de livros sobre religião, filosofia e psicologia, tentando descobrir as respostas para perguntas que me intrigavam, mas me dera conta de que tudo o que obtinha desses livros eram opiniões e idéias de outras pessoas. Sou um rebelde de coração e não aceito nada com fé cega. Enquanto estava sentado naquele banco, percebi que não somente tinha um sério problema de bloqueio para escrever como dera com uma parede no meu caminho espiritual.

Percebi que precisava de um mestre, ou guru, um mestre iluminado que me ajudasse a percorrer o caminho. South Jersey não é considerada uma das grandes mecas espirituais do mundo, o que me dificultava a tarefa. O mais próximo que temos de um santo em Jersey é Bruce Springsteen, e eu já fizera minhas peregrinações a Asbury Park Boardwalk. Eu não podia me mudar para a Índia, para a Costa Oeste, nem sequer, na verdade, para a Filadélfia. Vi que estava preso a South Jersey e tinha de aproveitar isso ao máximo.

Lembrei-me de um ditado budista que encontrei nas minhas leituras que dizia: "Quando a mente está pronta, o mestre aparece." Eu sabia que a minha mente estava pronta porque não podia ir adiante sem um mestre. Decidi recorrer à intervenção divina e juro que orei por um mestre naquele dia com mais fervor do que já fizera em toda a minha vida.

Quando abri os olhos, eu de fato esperava ver à minha frente um velho sábio envergando um longo manto branco, com cabelos compridos esvoaçantes e barba. Vi em vez disso uma garotinha atirando pedregulhos no lago. Ela parecia ter uns sete anos. Usava uma saia azul-marinho e blusa branca, com meias três quartos vermelha e branca e brilhantes sapatos pretos com tiras laterais e fivela prateada. Tinha cabelos castanhos presos num rabo de cavalo e dançava de um lado para outro a cada movimento.

Fique observando a menina brincar perto do lago por uns cinco minutos. Ela saltava a pulava e corria ao redor do lago, pegava algumas pedras e as atirava na água o mais longe que podia. Soltava exclamações de prazer quando as pedras atingiam a água e ficava pulando e batendo as mãos. O sorriso em sua face tocou-me o âmago do ser. Era um sorriso que nunca vou esquecer, porque me ensinou algo.

Observei a menininha desfrutar de momento a momento em total alegria, completamente esquecida do passado ou do futuro, inteiramente esquecida dos problemas do mundo, simplesmente vivendo. Estava alegre e em paz apenas vivendo no Agora, e eu tive inveja dela.

Decidi levar a vida menos a sério e tirar das costas o peso do mundo. Resolvi aproveitar mais os momentos e divertir-me mais. Dei-me conta de que isso é tudo o que existe, e eu não queria perder nada.

A garotinha foi o meu guru naquele dia, e tenho plena convicção de que Deus a enviou para me ensinar uma lição. Acredito até que ela pode ter sido um anjinho. Aprendi que nem todos os gurus usam mantos brancos ou têm cabelos e barbas compridos. Aprendi tudo isso nesse dia observando diretamente a menininha em seus momentos de alegria. Ela não me disse nada diretamente que me explicasse como conseguira aquele ânimo alegre. Na verdade, não a ouvi dizer uma única palavra. Apenas vi sua alegria com os meus próprios olhos.

Também percebi que não só aquela menina como tudo ao meu redor podia ser o meu guru. Descobri que o Mill Creek Park, ou qualquer outro lugar em que eu pudesse estar, era um microcosmo do universo e que, se eu participasse do momento e observasse com cuidado a natureza, de algum lugar no meu íntimo viriam as respostas a perguntas que costumavam me deixar atônito. Deus vive em South Jersey, com a mesma certeza com que vive nos Himalaias.

A expressão do amor puro e simples

Susan Ragsdale

Na qualidade de seres humanos, o nosso verdadeiro destino é ser anjos. Neste paraíso chamado Terra, somos altamente evoluídos e temos a capacidade de criar. Que bênção é a vida! Do mesmo modo como o compositor não se separa da música, o dançarino da dança, nem o pintor da pintura, Deus, o Criador, não se separa da sua criação. Tudo o que vejo é Deus, e sou grata por ser parte disso. Não estamos aqui apenas para aproveitar, mas para *adorar* tudo o que nos é dado. Temos de amar, cultuar e honrar muito o sagrado dom da vida. *Estou completamente comprometida com servir a Deus, e é isso que significa ser um anjo.*

Essa revelação não me veio do nada. Empenhei-me conscientemente em obtê-la, pois sofria e me sentia insatisfeita. Tenho quarenta e um anos e por fim passei por uma emergência espiritual. Há uns treze anos, eu tinha sérios problemas de saúde. Fiquei bem a partir do estudo da macrobiótica, que me ensinou como ter um estilo de vida natural que inclui exercícios regulares e uma excelente alimentação. Há uns cinco anos, descobri o Siddha Ioga e devotei-me a um mestre espiritual, Gurumayi Chidvilasananda. Continuo a meditar, a ler as escrituras e a cantar louvores ao Senhor em sânscrito. O fato de seguir esse caminho abriu o meu coração para o amor, e tenho sido abençoada com uma imensa gratidão.

Uma das maneiras pela qual podemos exprimir adoração é criar alguma coisa. Quando pinto o que considero belo, honro aquilo que vejo e partilho com os outros a minha visão. Até há bem pouco tempo, estive motivada a publicar as minhas obras de arte como cartões, devido a um desejo de ter apreciadas minhas capacidades. Para minha felicidade, já não quero esse reconhecimento. Com a graça de Deus, alcancei a humildade e só quero servir e ser um anjo.

Gosto de fato de pintar. É algo que me vem de modo natural, e o trabalho continua a melhorar. É uma maravilhosa maneira de expressar adoração e júbilo. Quero partilhar esses sentimentos com o maior número possível de pessoas, e é por isso que publico cartões com as pinturas.

O ato de dar e de enviar cartões é um modo especial de nos vincularmos aos outros e de comunicar sentimentos. É algo que nos permite expressar amor, puro e simples. Acredito no amor. Deus é amor. Com o amor, este mundo é um lugar celestial. Por conseguinte, tenho a intenção de criar belos cartões que sejam um meio *inspirador* de partilhar o amor. Amém.

A história do "anjo"

Amy Stein

Em outubro de 1990, eu estava trabalhando sob a pressão de um prazo — completar um último quadro para a abertura da minha exposição, no dia 13 de outubro, na Olson Gallery de Santa Fé. Quando comecei a pintar, estava tomada por uma tensão e uma ansiedade extremas. Eu não estava feliz com a qualidade das peças da exposição e precisava que aquela obra causasse impacto. Eu sentia que só tinha uma bala na agulha, nenhuma segunda chance, porque a abertura seria dali a três dias. Comecei a pintar com os meus materiais costumeiros — aquarela e papel de aquarela — para criar o retrato de uma índia que provavelmente viveu no começo do século. A velha fotografia me mostrava uma vigorosa e triste apache.

De algum modo, não estava dando certo. A aplicação da tinta parecia muito espessa, manchada em alguns pontos. Eu me senti por um momento desesperada e frustrada. Será que eu deveria jogar tudo fora? Começar outra vez? Não havia tempo. Continuei a trabalhar. Esbocei rapidamente as formas ovais e à direita da sua cabeça, formas que deviam ser seus avós por trás dela. Tentei não pensar, restringindo-me a trabalhar com o seu rosto. De repente, pareceu que o rosto da mulher pulara do papel, ganhara vida e me confrontava.

Para uma pintora de retratos essa não é uma experiência incomum, a do momento em que a pintura se transforma numa presença viva, numa consciência que confronta o artista. Mas aquela tinha algo de diferente. Vivi aquele momento como um "susto" de reconhecimento, um "choque". É uma sensação interessante ver algo que você pintou subitamente enfrentá-lo. A expressão da mulher era de amor, compaixão e ternura incríveis, com um divertido meio sorriso. Fui pega desprevenida, e lembro-me de ter engolido em seco e recuado, suspensa em algum lugar do tempo.

Caminhei na direção do quadro outra vez, com o pincel ainda na mão, para preencher as faces dos avós por trás da índia. Foi como se ela me olhasse diretamente e dissesse as palavras: "Estes não são os avós; são as minhas asas. Sou um anjo. Amamos você; tudo está bem. Guarde o pincel; está pronto." Lembro-me de largar o pincel no chão, com lágrimas surgindo nos olhos. O quadro estava acabado.

A pintura foi enquadrada, chamada "A Presença" e pendurada na Olson Gallery para a abertura. Nas semanas e meses seguintes, as pessoas começaram a denominá-la "O Anjo", o anjo com sorriso de Mona Lisa. Duas semanas depois de eu tê-la pintado, tentei compreender o que havia de tão peculiar naquela imagem. Percebi que havia no seu rosto dois lados distintos que aparentemente não tinham relação mas estavam interligados. Um lado tranqüilo, que sorria, e um lado marcado por uma expressão de intensa tristeza e tragédia. A mulher confronta firmemente o observador. Dei-me conta do que é um anjo — uma alma que passou por tragédias e pela tristeza mas que continuou a amar. Creio que, nesse quadro, curei e integrei diferentes partes da minha personalidade com o amor e a compaixão. Esse anjo continua a ser, para mim e para outras pessoas, uma imagem revigorante e curativa.

Poetas e anjos: Um passeio pela poesia de inspiração angélica

Shannon Melikan

Every hour, every moment has its specific attendant spirit.
H. D., "Tribute to Angels"
[Cada hora, cada momento tem o seu espírito auxiliar específico.]

Se estão em toda parte, os anjos são especialmente numerosos na poesia. Na verdade, eles passaram a residir aí e podem ser encontrados a qualquer momento, brincando e transmitindo-nos mensagens de amor por meio do poema. Por serem místicos, entre os versos que falam de modo tão intenso à nossa alma há portas para o céu. A palavra viva e dinâmica molda-se a si mesma para a nossa psique, e Deus torna-se nosso íntimo, um Deus absolutamente pessoal.

As palavras, assim como o verbo, podem ser elas mesmas reencarnações.

Norman Holmes Pearson, Prefácio a *Trilogy*, de H. D.

Na poesia, é comum que os anjos tenham nome e identidade. Eles nos falam com clareza e nos transmitem um estímulo cuja natureza é sempre generosa. Sabemos que podemos ler um poema no qual um anjo conhecido reside e ser encorajados por uma explosão vinda da página que nos abraça e nos dá o beijo do céu. Porque a poesia é um porto — um outro mundo em que uma celebração mística aberta, mas mesmo assim secreta, espera pacientemente entre os versos, gerada na linguagem metafórica das palavras.

Em alguns poemas, os anjos tornam-se mais brilhantemente simples. Quando a luz brilha sobre algo, damo-nos conta da existência desse algo; e, quando os anjos acentuam a beleza, compreendemos o milagre que existe nela. Os anjos brilham e aparecem aos poetas em nosso benefício, porque o poeta é um escriba, talentoso e com uma atitude de amor com relação às pessoas, visto ter o cuidado e reservar tempo para ver e descrever essas belas criaturas.

Rainer Maria Rilke descreve os anjos de maneira magnificamente acertada nesta passagem da *Segunda Elegia, Elegias de Duino.* Podemos inferir que os anjos têm a capacidade de ser qualquer coisa que queiram.

Early successes, Creation's pampered favorites.
Mountain-ranges, peaks growing red in the dawn
Of all Beginning — pollen of the flowering godhead,
joints of pure light, corridors, stairways,
thrones,
of emotion whirled into rapture, and suddenly alone
mirrors, which scoop up the beauty that has
streamed from their face
and gather it back, into themselves, entire.

[Primícias, prediletas da Criação./Cadeias de montanhas, picos que se enrubecem na alvorada/do mundo criado, — pólen da divindade em flor,/articulações de pura luz, corredores, escadarias, tronos,/espaços de emoção vertiginosa e, de repente,/ espelhos solitários, que devolvem a beleza que/ havia desaparecido de suas faces/ recriando-a inteira dentro de si mesmos.]

A poetisa H. D. aparece de súbito com profunda concentração para olhar de modo intenso e próximo a forma vital do anjo. Neste excerto, ela estava sentada com duas amigas, escrevendo a segunda parte de sua *Trilogy*, intitulada "Tributo aos Anjos". Nessa seção, uma amiga, que ela considera sua protetora, a impele a descrever as qualidades do anjo que ela vê.

I can not invent it,
I said it was agate.

I said, it lived, it gave —
fragrance — was near enough

to explain that quality
for which there is no name;

I do not want to name it,
i want to watch its faint

heartbeat, pulsebeat
as it quivers, I do not want

to talk about it,
I want to minimize thought,

to concentrate on it
till I shrink,

dematerialize
and am drawn into it.

[Não posso inventá-lo,/Eu disse que era ágata./Eu disse que ele viria, que exalava —/fragrâncias — estava muito perto/para explicar essa qualidade/para a qual não há nome;/não quero dar-lhe um nome, quero observar a sutil/batida do seu coração, sua pulsação/enquanto ele tirita, não quero/falar sobre ele,/quero calar o meu pensamento,/concentrar-me nele/até encolher,/me desmaterializar/e ser por ele absorvida.]

H. D. fica hipnotizada pela visão do anjo e protesta contra o fato de ser obrigada a descrevê-lo. Mas, no seu protesto, revela-nos de modo brilhante como nos concentramos nos anjos. Há nesse poema instruções de meditação para a experiência mística.

A "rebelião dos anjos" — a sabedoria, o acontecimento e a influência dos anjos — é o modo como Alfred, Lord Tennyson, descreve a inspirada obra de Milton no poema "ALCAICS" [Alcaicos]:

O mighty-mouthed inventor of harmonies,
O skilled to sing of Time or Eternity,
God-gifted organ-voice of England,
Milton, a name to resound for ages;
Whose Titan angels, Gabriel, Abdiel,
Starred from Jehovah in gorgeous armories,
Tower, as the deep-domed empyrean
Rings to the roar of an angel onset-...

[Ó inspirado inventor de harmonias,/Hábil cantor do Tempo ou da Eternidade,/Abençoado porta-voz da Inglaterra,/Milton, nome que vai ressoar durante eras;/Cujos anjos titãs, Gabriel, Abdiel,/Vestidos por Jeová com reluzentes armaduras,/ Elevam-se enquanto o firmamento abobadado/Vibra com o fragor da *rebelião dos anjos*.]

E um belo exemplo do que Tennyson descreve como uma "rebelião de anjos" está na instrução angélica sobre a felicidade no *Paraíso Perdido* de Milton:

To whom thus also the angel last replied:
"This having learned, thou hast attained the
sum of wisdom; hope no higher, though all the stars
Thou knewest by name, and all the ethereal powers,
All secrets of the Deep, all Nature's works,
Or works of God in heaven, air, earth or sea,
And all the riches of this world enjoyest,

And all the rule, one empire. Only add
Deeds to thy knowledge answerable; add faith,
Add virtue, patience, temperance, add love,
By name to come called charity, the soul
Of all the rest; then wilt thou not be loth
To leave this Paradise, but shalt possess
A Paradise within thee, happier far. —

[A quem, portanto, o anjo disse, por fim:/"Tendo aprendido isto, alcançaste/toda a sabedoria; não alimentes esperanças de saber mais,/mesmo que conheças todas as estrelas pelo nome, e todos os poderes etéricos,/todos os segredos das Profundezas, todas as obras da Natureza,/ou as obras de Deus no céu, no ar, na terra ou no mar,/e embora tenhas usufruído de todas as riquezas deste mundo,/e de todo o controle, um império. Só acrescentes/Atos dignos do teu conhecimento; acrescentes, fé;/Acrescentes virtude, paciência, temperança, acrescente amor,/Virtudes que serão chamadas de caridade, a alma/de todo o resto; então não terás de sair desse Paraíso, mas terás/dentro de ti um Paraíso bem mais feliz.]

Na *Divina Comédia* de Dante — o Inferno, o Purgatório e, por fim, o Paraíso —, sua amada, a angelical Beatriz, é enviada do céu para salvar a alma de Dante do que é descrito como "a selva negra do erro":

Seus olhos eram iluminados pelas lâmpadas do Céu.
Sua voz me comovia, terna, doce e baixa.
Uma voz de anjo, com música própria:

A *Divina Comédia* registra as visões e experiências de Dante ao ser transportado pelo inferno, pelo purgatório e, finalmente, ao paraíso, onde tem a visão última da harmonia universal:

E no centro, grandes asas bem abertas,
mais de mil anjos festivos brilhavam,
cada qual com um tipo diferente de brilho e arte.

Aqui, Beatriz é real e eterna, pois existe tanto para nós como para Dante, e não desaparece da consciência humana; ela reaparece mais tarde no poema "Beatriz" de Lewis Carroll:

In her eyes the living light
Of a wanderer to earth

From a far celestial height:
Summers five are all the span —
Summers five since Time began
To veil in mists of human night
A shining angel birth.

[Nos olhos dela, a luz viva/De quem viaja para a terra/desde distantes alturas celestiais:/um período de cinco verões —/Cinco verões desde o início do Tempo/Para esconder a névoa da noite dos homens/O reluzente nascimento de um anjo.]

Por fim, como os anjos vêm e vão a seu bel-prazer, e como é melhor não exigir nem esperar aparecimentos pessoais seus, sempre podemos nos unir como poetas para louvá-los, como o faz aqui John Keats em "Spirit Here That Reignest" [Espírito Presente Que Reinas]:

Spirit here that laughest!
Spirit here that quaffest!
Spirit here that danceth!
Noble soul that pranceth!
Spirit! with thee
I join in with glee...

[Espírito que ri!/Espírito que bebe em grandes tragos!/Espírito que dança!/Nobre alma que te pavoneias!/Espírito! a ti/me associo com alegria...]

Bibliografia de obras citadas

Carroll, Lewis, "Beatrice", in *The Humorous Verse of Lewis Carroll*, Nova York, Dover Publications, 1960.

Alighieri Dante, *The Inferno* e *The Paradiso*, tradução de John Ciardi, Canadá, A Mentor Book (uma divisão da Penguin Books, USA, Inc., Nova York), 1982.

H. D., "A Tribute to Angels", in *Trilogy*, Nova York, New Directions, 1973.

Keats, John, "Spirit Here That Reignest", in *The Poems of John Keats*, organizado por Jack Stillinger, Cambridge, Massachusetts, Belknap Press da Harvard University Press, 1978.

Milton, John, *Paradise Lost,* Chicago, Donohue, Hennesberry & Co., s/d.

Pearson, Norman Holmes, Prefácio a H. D., *Trilogy*, pp. 13-15, Nova York, New Directions, 1973.

Rilke, Rainer Maria, "The Second Elegy", *Duino Elegies: The Selected Poetry of Rainer Maria Rilke*, organizado e traduzido por Stephen Mitchell, Nova York, Vintage Books.

Tennyson, Alfred Lord, "ALCAICS", citado em *The Penguin Book of English Cristian Verse*, p. 241, organizado por Peter Wevi, Londres, Penguin Books, 1984.

O que acho criativo

Jessica Marie Godfrey, 9 anos

O que acho criativo são os anjos e o que eles vestem. Acho que os anjos são criativos porque ajudam as pessoas e porque são muito bonitos. Os anjos também são criativos no que dizem às pessoas.

Outra coisa criativa é a natureza. Eu adoro todas as coisas da natureza. Acho que a natureza é criativa nos pássaros que batem as asas e nos cavalos que correm.

Também acho que minha tia, Terry Lynn Taylor, é muito criativa. Ela escreve livros.

Observações Finais

Faça da criatividade uma prioridade na sua vida! Faça da criação do céu uma prioridade na sua vida! Muitas questões com que nos defrontamos têm uma resposta que vamos encontrar ao expressar o nosso espírito criativo individual. Uma resposta que recebi pessoalmente por meio da inspiração criativa diz respeito à importância da gratidão. Descobri que, se não estou feliz, o ingrediente que falta é a gratidão. Minha primeira atitude quando não estou me sentindo feliz é procurar maneiras de expressar a minha gratidão. Um modo de fazê-lo é simplesmente pedir aos anjos um impulso de gratidão, e eu logo o recebo.

Tenho esperança porque vejo o mundo melhorar. Recebo muitas bênçãos na minha vida, e uma bem especial é o fato de receber cartas de pessoas que estão de fato fazendo mudanças positivas em sua vida porque os anjos as ajudaram a renovar seu sentimento de esperança. Sei que há uma revolução em andamento no coração das pessoas; tenho provas disso. Essa revolução ainda não alcançou bem a mente das pessoas, razão por que nem todos podem compreendê-la plenamente; mas o fato é que ela começou e eis *por que* agora os anjos são tão populares. Eles não estão aqui para nos tornar mais ricos em termos de dinheiro ou de posses mundanas, mas para enriquecer a nossa vida de significado e para dar ao nosso coração mais vitalidade com a energia do amor. Por isso, sou grata.

Continuo a escrever livros por duas razões principais. Em primeiro lugar, por sua causa, leitor; em segundo lugar, você, os seus anjos e os meus anjos me inspiram a fazê-lo. Muitas pessoas me perguntam: "Quantos exemplares dos seus livros você vendeu? Quanto dinheiro eles estão rendendo?" Isso parece ser o importante — quanto mais livros vender, tanto mais bem-sucedida ou rica tenho de ser. Bem, eu não busco o sucesso em termos de números e de dinheiro. Na minha mente, as verdadeiras perguntas são: Os meus livros alcançam as pessoas? Tocam os corações? Estou feliz por tê-los escrito? Posso responder honestamente sim a essas três perguntas, e por isso sou muito *grata.*

Que os anjos de luz abençoem a sua alma com júbilo infinito. Que ele dancem na sua mente, trazendo-lhe um fluxo infinito de pensamentos nobres. Que o seu coração transborde de amor angelical. E que a sua vida continue a ser um milagre de criação abençoado pelos anjos.

Agradecimentos

Agradeço às seguintes pessoas pela sua influência positiva na minha vida e na minha criatividade. No que se refere a este livro, tenho primeiro de remontar no tempo e agradecer àqueles de que me lembro por sua influência positiva sobre a minha energia criativa quando jovem. Sou verdadeiramente grata pelo fato de eles existirem. Escrever agradecimentos pode ser muito autobiográfico, ao que digo: "Por que não?" Os agradecimentos também são para a posteridade. Gosto da idéia dos agradecimentos como algo que proporciona a oportunidade de ser indulgente. Estimulo todos a escrever agradecimentos de vez em quando. Se não os incluir num livro, inclua-os no seu diário ou em algum lugar especial.

Imagino que eu tenha sido uma criança estranha pelos padrões da maioria das pessoas. Essa pelo menos foi a mensagem que me foi transmitida várias vezes pelos adultos e crianças em cuja companhia cresci. Entretanto, fui muito amada! E muito abençoada, porque havia umas poucas pessoas-chave que aceitaram a minha estranheza e me ajudaram a expressá-la construtivamente. É claro que os meus pais e a minha família forneceram o alicerce. Todo projeto artístico que eu levava para casa era considerado uma obra-prima, e davam-me condições para que qualquer talento perceptível pudesse florescer. Levei muito tempo para compreender e apreciar por inteiro a integridade que os meus pais, Gordon e Nancy Taylor, procuraram instilar em mim. Quanto mais compreendo a importância da integridade, tanto mais me maravilho com a bênção de ter essas duas pessoas como pais. Há algumas pessoas que deixam onde quer que passem, de maneira natural, uma marca positiva e que afirma a vida. Minha tia Dorothy era assim. Eu só a via uma vez por ano, e ela faleceu muito cedo, mas sempre que a via — bem como por meio de suas cartas —, ela me deixava com um pensamento positivo sobre mim mesma que muito aumentava a minha auto-estima e me fazia pensar. Minha avó Dorothy Kelley também apareceu em momentos importantes para me encorajar e me fazer saber que no final tudo daria certo.

Fora do meu círculo familiar, o estímulo veio primeiro dos meus amigos e depois dos meus professores de arte. Minha primeira verdadeira professora de arte foi Betty Mae Anderson. Quando me lembro dela, penso no seu bom humor, na sua maravilhosa excentricidade, na maneira como criou um lugar seguro para nos expressarmos e, é claro, na inspiração que criou por meio da sua própria arte. Outra professora de arte, e artista, que me inspirou quando eu era jovem foi Ann Lascombe. Ela me ensinou a compreender a energia da natureza e a ver a beleza nas montanhas e no mundo natural que nos cerca onde quer que vivamos. Ela também era a mãe de um dos meus amigos mais queridos, Kari, e sempre senti que Ann nos tratava mais como pessoas do que como crianças.

Anya Fisher, minha professora de arte no colégio, ensinou-me a olhar de fato para o que eu via. Sou-lhe grata por essa dádiva e pela sua poesia e arte inspiradoras. Ela foi a primeira mulher a me ensinar de fato, pelo exemplo, que ser uma mulher mais velha na nossa sociedade é uma inspiração e algo cheio de bênçãos, e não uma caminhada repleta de apreensões e medos.

Ed Wortz tem sido uma influência estabilizadora na minha vida e na minha criatividade nos últimos dezoito anos; eu de fato aprecio o seu modo zen de ser e o seu senso de humor, que tem continuamente renovado o meu senso de humor em momentos cruciais.

Há muitas outras pessoas que tiveram uma influência positiva nos meus primeiros anos, e eu gostaria de poder relacioná-las todas. Sua luz sempre vai brilhar, porque a luz do amor continua a tocar os corações em todo lugar.

Agradeço à minha irmã Kathy pelo seu apoio. Agradeço à minha sobrinha Elizabeth pela sua contribuição — a dedicação ao livro — e pelo prazer de presenciar a sua transformação numa pessoa tão bonita. Agradeço à minha sobrinha Jessica pela sua colaboração neste livro, e sou grata a ela e ao meu sobrinho Nichols por serem uma fonte incessante de inspiração e de bom humor. E agradeço aos meus irmãos, Tim e Kevin, por serem meus irmãos.

A família deste livro

Agradeço às pessoas a seguir — e tenho por elas uma imensa gratidão —, que ajudaram no nascimento e no desenvolvimento deste livro. Linda Kramer é a companheira de parto ou parteira deste projeto. O livro começou como um diário orientado com poucas linhas escritas. Por meio da orientação e da inspiração de Linda, ele se tornou o que é, muito mais do que imaginei que eu tinha em mim para dizer. Por isso, e pela sua amizade e contribuição ao Fórum sobre a Criatividade, sou-lhe muito grata. Hal Kramer é o fazedor de chuva. Estou convencida de que, pela sua simples presença, ele cria magia ao redor de um livro que publica. Nancy Grimley Carleton é o anjo da guarda humano deste livro. Ela é dotada de uma prodigiosa capacidade artística de editoração que resulta em integridade, algo que ela tem em abundância para dar. Eu também lhe agradeço por estar presente em momentos cruciais com a palavra certa de estímulo às minhas necessidades pessoais.

Tim Gunns é irmão deste livro. Sempre posso contar com a sua presença quando preciso de um pouco de proteção e de apoio extra, e sua presença na minha vida me proporciona o espaço seguro de exploração e de evolução espiritual. Agradeço-lhe por isso e pela sua contribuição, que, quando lhe pedi que desse, eu tinha idéias pouco específicas na cabeça. Ele conseguiu sintetizar o meu pedido e deu uma prodigiosa contribuição.

Shannon Melikan é de fato a irmã deste livro. Muitas partes dele foram inspiradas por uma conversa ou uma percepção que discutíamos, ou pela idéia de que eu tinha uma testemunha. Ela foi capaz de pôr em palavras, de antemão, muitos dos conceitos que eu queria descrever, de modo que consegui adicionar mais clareza ao que estava escrevendo na época. Agradeço-lhe também pelo maravilhoso passeio pela poesia dos anjos. A poesia está próxima do seu coração, assim com os anjos, razão pela qual estou feliz com o fato de ela ter partilhado alguns dos seus estudos sobre esses dois assuntos neste livro.

A família ampliada do livro

Agradeço às seguintes pessoas pela sua colaboração ao Fórum sobre a Criatividade e pela sua colaboração positiva à minha vida: K. Martin-Kuri, pelas dádivas espirituais que trouxe à minha vida, pela sua integridade como angelologista, por seu apoio ao meu trabalho e por ter escrito o prefácio deste livro. Susan Ragsdale, por sua essência de pureza e de amor. Ann Van Eps, por seu entusiasmo, amor e torcida em favor da luz. Kleo Leeds, por inspirar outras pessoas a dançar pela vida na luz. Carlos Santana, pelo seu apoio à minha *brincadeira* com os anjos e por ser um dos seres humanos mais inspiradores que o mundo vai conhecer — através da sua música, da sua humildade e da sua perspectiva de vida. Marty Noble, pela beleza, graça e delicadeza que se manifestam tão claramente em sua arte. Laurel Savoie, pelos risos a mais que produz onde quer que vá e pelo exemplo inspirador de integridade espiritual em corpo, mente e espírito que é. Abigail Lewis, por sua inteligência, que é pura e amorosa, por seu bom humor e seu efeito sinergístico sobre as minhas idéias acerca da criatividade, bem como pela sua generosidade de espírito. Sally Allen, pela sua visão bem-humorada da vida, que tem me ajudado a me manter saudável, por me ajudar a manter a luz em perspectiva e por partilhar com tanta honestidade os seus sentimentos sobre a vida, o amor e os anjos. Allan P. Duncan, por partilhar suas lições de vida para que outros sejam inspirados e por escrever e me enviar exatamente o que eu precisava no momento certo. Maureen Hicks, pela sua dedicação ao futuro positivo da vida, pela sua grande energia vital e pela sua personalidade divertida. Amy Stein, por partilhar sua consciência angélica em florescimento por meio da sua arte e da sua vida, para inspirar outros a seguir em frente por mais difíceis que sejam as situações, John Harricharan, por tantas coisas e por ser um fazedor de chuva na minha vida. São muitas as bênçãos que têm aparecido no meu caminho desde que o conheci, todas elas diretamente relacionadas com ele; têm real importância para mim a bênção da sua amizade e a força da sua motivação inspiracional pura que ele partilha tão generosamente com o mundo.

Outras pessoas importantes

Também quero agradecer a: Mary Beth Crain, pela sua amizade, pelo seu humor e pela sua vida criativa, bem como por ser um espírito afim. Jai Italiander, pela sua generosidade interminável, seu amor — um exemplo de serviço a Deus — e sua amizade verdadeira. Uma Ergil, pela sua gentileza e amizade. Mick Laugs, pela sua divertida pontualidade. E Anita Keeler, pelo seu apoio positivo. Meus vizinhos, Marie,

Oriann, Eli, Kim, Sandy e Tors, pela dimensão intensificada que trouxeram à minha vida e, portanto, a este livro. Os muitos membros de *Angels Can Fly* e leitores que me escrevem a fim de manter forte, leve e plena de esperança a minha consciência angélica. Fred Hansen, pelo espírito da crença em si mesmo e na missão de cada um nesta vida. E, por fim, a Lisa Rome, pelo seu espírito de criança da vida e sua amizade.

Relação de Livros e Recursos

Livros sobre criatividade

Cameron, Julia, *The Artist's Way*, Nova York, Putman, 1992.

Diaz, Adriana, *Freeing the Creative Spirit: Drawing on the Power of Art to Tap the Magic and Wisdom Within*, São Francisco, Harper-Collins, 1992.

Kent, Corita, e Steward, Jan, *Learning by Heart: Teachings to Free the Creative Spirit*, Nova York, Bantam, 1992.

Livros diversos

Fisher, Robert, *The Knight in Rusty Armor*, Hollywood, Califórnia, Wilshire Book Company, 1990.

Parrish-Harra, Carol E., *The Book of Rituals: Personal and Planetary Transformation*, Santa Mônica, Califórnia, IBS Press, 1990.

Scheffer, Mechthild, *Bach Flower Therapy: Theory and Practice*, Rochester, Vermont, Healing Arts Press, 1988. [*Terapia Floral do Dr. Bach: Teoria e Prática*, Editora Pensamento. São Paulo, 1991.]

Livros e recursos sobre os anjos

O *Angel Book Catalog*, de John Ronner, é uma das maiores fontes disponíveis de livros sobre os anjos. Inclui livros difíceis de encontrar, livros especiais e fitas cassete. Para receber uma cópia gratuita desse catálogo, envie um envelope selado (52 cents) longo, nº 10, a Mamre Press, 107-AF South Second Ave., Murfreesboro, TN 37130. John tem um novo livro publicado, *Know Your Angels: Meet One Hundred Prominent Angels From Legend and Folklore*. Se tiver dificuldades para consegui-lo, você pode pedi-lo diretamente a ele, enviando 10,95 dólares, mais 1,50 dólar de despesas postais, ao endereço da Mamre Press. Esse grande livro traz a relação de muitos recursos atuais, e sua leitura é divertida.

Maclen, Dorothy, *To Hear the Angels Sing*, Hudson, Nova York, Lindesfarne Press.

Recomendo enfaticamente esse livro. Ele continua como o meu principal favorito dentre os livros sobre anjos. Se você tiver dificuldade para encontrar o livro de Dorothy Maclean, *To Hear the Angels Sing*, pode pedi-lo diretamente à Lindisfarne Press, enviando 10,95 dólares, mais 3,50 dólares para despesas de envio. Telefone (518) 851-9155. (Aceita-se Visa/Mastercard.) Envie cheque ou ordem de pagamento a Lindisfarne Press, RR 4, Box 94 A-1, Hudson, NY 12534. Esse é também o endereço da Anthroposophic Press, cujo catálogo pode pedir para obter mais informações sobre os anjos. Telefone (518) 851-2054.

Dois livros que muito recomendo para aprofundar seu relacionamento com os anjos (livros que surgiram em cena depois da compilação feita por mim em *Anjos — Mensageiros da Luz*) são:

Daniel, Alma; Wyllie, Timothy e Ramer, Andrew, *Ask Your Angels*, Nova York, Ballentine, 1992. [*Pergunte ao Seu Anjo*, Editora Pensamento. São Paulo, 1993]

Howard, Jane, *Commune With the Angels,* Virginia Beach, Virgínia, A.R.E. Press, 1992.

Encontros especiais sobre anjos

A Power Places Tours vai promover na primavera de 1994 um seminário sobre Anjos e Espíritos da Natureza, no Havaí, devendo realizar mais um na Irlanda e na Inglaterra. Para saber sobre esses eventos especiais e sobre outras viagens excitantes que eles oferecem, entre em contato com eles em: 285 Boat Canyon Drive, Laguna Beah, CA 92651. Telefone: (800) 234-TOUR (8687) fora da Califórnia; na Califórnia: (714) 494-5138.

A Tapestry promove um seminário de fim de semana anual sobre os anjos, e fornece fitas e um manual sobre os anjos. Escreva para Tapestry em 1 (800) 28-ANGEL, P.O. Box 3032, Waquoit, Massachusetts 02536.

Aromaterapia

Ao longo do livro, menciono aromas e aromaterapia, elementos que podem ajudá-lo na sua brincadeira com os anjos. A QuietStar: The Fragrant Path® tem um catálogo de reembolso postal com os melhores óleos e suprimentos. A Quiettar recebe dos devas informações sobre que óleos misturar e para quê. Conheci o casal que iniciou a QuietStar e os considero espíritos afins. Para receber o catálogo da QuietStar, escreva para: QuietStar, 1415 Abbot Kinney Blvd., Box 144, Venice, CA, 90291, ou ligue para 1 (800) 722-OILS (6457) para pedidos diretos e informações.

Para informações sobre o *Angels Can Fly Newsletter*, para obter um catálogo de fitas, camisetas com os desenhos deste livro e outras coisas divertidas, bem como para escrever pessoalmente a Terry, dirija toda a correspondência para:

Terry Lynn Taylor
2275 Huntington Dr., nº 326
San Marino, CA 91108

O *Angels Can Fly Newsletter* é publicado trimestralmente e oferece "orientação sazonal para inspirar a consciência angélica". A anuidade dos membros é de 12 dólares. Envie um envelope selado e auto-endereçado ao endereço acima para receber um exemplar gratuito.

ANJOS
MENSAGEIROS DA LUZ

Guia para o crescimento espiritual

Terry Lynn Taylor

Os anjos, mensageiros da Divina Providência, estão sempre dispostos a ajudá-lo na criação do céu em sua vida; eles são o elo perdido da corrente de auto-ajuda e do processo de autodesenvolvimento e autoconfiança da humanidade.

Anjos, Mensageiros da Luz é um livro cujo propósito é expandir a sua consciência com relação aos anjos; é sobre conhecer e notar o comportamento dos anjos para que você possa incorporar a ajuda angélica na sua vida cotidiana.

Leia este livro como um guia para a descoberta do reino dos Anjos. Descubra maneiras de criar a consciência angélica e de atrair os anjos para a sua vida. Se o fizer, eles irão partilhar com você segredos que lhe ensinarão como driblar os inconvenientes causados pela tensão da vida moderna, pelo envelhecimento e pela gravidade.

EDITORA PENSAMENTO

Outras obras do autor:

OS ANJOS RESPONDEM

OS ANJOS - Guardiães da Esperança

ANJOS - Mensageiros da Luz

Outras obras de interesse:

REDESCOBRINDO OS ANJOS e os Habitantes Alados da Eternidade
Flower A. Newhouse

PERGUNTE AO SEU ANJO - Um Guia Prático para Lidar com os Mensageiros do Céu e Fortalecer e Enriquecer a sua Vida
Alma Daniel, Thimothy Wyllie e *Andrew Ramer*

ANJOS - ESPÍRITOS PROTETORES
Penny McLean

CONTATOS COM O ANJO DA GUARDA
Penny McLean

NOSSOS GUIAS ESPIRITUAIS
Penny McLean

COMUNICAÇÃO COM OS ANJOS E OS DEVAS
Dorothy Maclean

A FRATERNIDADE DE ANJOS E DE HOMENS
Geoffrey Hodson

O REINO DOS DEUSES
Geoffrey Hodson

MEDITANDO COM OS ANJOS
Texto: Sônia Café
Ilustrações: Neide Innecco

GUIAS ESPIRITUAIS - Não Estamos Sozinhos
Iris Belhayes

CONTATO COM GUIAS ESPIRITUAIS - Pequeno Manual de Canalização
Celina Fioravanti

OS ANJOS QUE REGEM A NOSSA VIDA - Um Guia Espiritual
John Randolph Price